赤尾由美の辻説法

赤尾由美

青林堂

はじめに

大変ありがたいことに、いち中小企業事業主の私が平成二十九（２０１７）年6月から『ジャパニズム』で経済記事を連載させていただきました。それから約3年、17本の原稿中15本を加筆修正したものが本書になります。

残念ながら『ジャパニズム』は令和二（２０２０）年2月の53号で休刊となってしまいましたが、私の原稿は、こうして本として復活したのです。青林堂さまには感謝しかありません。

あらためて読み返してみると、その時々の時事ネタを中心に中小企業の叫び？　が綴ってありますが、そんなに古い話題にはなっていません。逆に考えると、私がこの3年間で指摘してきたことが、何一つ解決していないともいえるのです。

その代表的なものが「グローバル化」「デフレ経済」です。

しかし、今年に入ってから新型コロナウィルスによって、世界は一変しました。令和二

（2020）年は歴史の転換期として重要な年になると思います。

今まで、ヒト・モノ・カネが縦横無尽に国境を越えて動いていたのに、今は国境が強く意識されています。グローバル化の実験が終わったかのように、世界の国々はローカル化、ナショナル化していくことでしょう。そして、このグローバル化の実験の終わりは、中国共産党政府とEUの終わりでもあります。中国共産党政府もEUも「国を超えた大きな勢力」が人工的に作ったものだからです。そして、今後の道筋は米英がつけていくのだと思います。

この流れは日本にとって良いことでしょうか？　悪いことでしょうか？　もちろん、私にとっては良いことです。本書で繰り返し述べていますが、日本らしさ、日本でのモノづくりを大切にしている人にとっては朗報です。しかし、日本の政官財学はグローバル化が大好きで、その中でも多くの人が親中派です。彼らにとっては残念ながらバッドニュースでしょう。「日本を、取り戻す。」と言っていた安倍政権も例外ではありません。令和二（2020）年に習近平を国賓で招聘（しょうへい）しようとしていたのですから。令和二（2020）年5月現在、中止ではなく、オリンピックと同様延期です。いまだに、脱中国をできないでいます。

また、外務省・経産省などのお役所も、経団連を始めとする日本企業も、大学などの教育機関も中国マネーにからめ捕られています。中国共産党政府という泥船に乗って、一緒に沈む覚悟はあるのでしょうか？　彼らが沈むのは勝手ですが、日本国民をその巻き添えにしないで欲しいのです。

普段は対米自立を主張する私も、今は米国にしっかりとついていかなければならない時だと思っています。かといって、米国が日本を守ってくれるわけではありませんが、間違っても沈む中国共産党と心中してはいけないのです。

今、大きく潮目が変わりました。新型コロナはその第一歩です。脅かすわけではありませんが、これから様々なことが起こり、新世界秩序が作られていくのだと思います。先の大戦では、流れを読み違えました。同じ失敗をしたくありません。

そんな中で、日本と日本国民の役割は大きくなってくると思います。水際対策が一番後手に回った日本で、爆発的な感染が起こりませんでした。これは新しいウィルスと戦うのではなく、共存していこうとする潜在意識があるからではないでしょうか。

国民が日本の国柄を理解して、その役割を全うすることが必要です。日本の国柄は「大調和」です。そして、世界に範を示して、新しい国や社会のあり方を実現していくことが求められていると思います。

今回、本書の結びで、著名なスピリチュアル・カウンセラーの並木良和さんと対談をさせていただきました。この場を借りて、御礼申し上げます。

並木さんは霊能者として、たいへん優れた能力をお持ちであることはもちろんのこと、普段のお人柄がとても素敵な方です。

彼が講演会などでいつも伝えていることは「統合」＝「本当の自分に一致して生きる」ということです。同調圧力の強い日本では他人に合わせている方が楽な場合が多々あります。しかし、そうではなく「一瞬一瞬の感情や行動を自分の責任で選択する」というメッセージなのです。つまり、他人を気にするのではなく、自分に集中するということです。すると、不思議なことに、結果として周りと調和していくのです。実際に、並木良和さんのあり方を拝見していると、自分に集中しているのに、誰とも摩擦を起こさず、全てに調和しているのです。分離や対立ではなく、大調和の生き方です。

その生き方は、国と国との関係でも必要なことです。あちらこちらに良い顔をする外交ではなく、国益に一致した選択をしなければなりません。本当の調和を目指すなら、それぞれの国が自国に集中すればいいのです。そして、それぞれが個性豊かに自立してこそ、真の大調和が実現すると思います。それが次の世界のローカル化であり、ナショナル化です。均一化のグローバル化とは正反対です。

私はまだまだ大調和の生き方ができていないので、本書の中では、政権批判などが繰り返されています（苦笑）。事実認識の共有ということで、ご容赦下さい！　文章で表しているほど、怒ってはいませんから……。

私も基本的には、政府が悪い、世間が悪い、あの人が悪いなどと人のせいにしないで生きてきたつもりです。人のせいにしたところで、会社の業績も自分の人生も良くならないからです。常に「じゃ、どうする？」と自分に指を向けてきました。ですから本書の中でも「じゃ、そんな日本だけど、私たちはどうする？　何ができる？」と解決策も述べたつもりです。

私は学者でも評論家でもありませんので、自分の体験からモノを書いています。ですから、一部偏っている部分もあるかもしれません。いや、だいぶあると思います……。いつも、娘に「ママは思い込みが激しい。偏っている」と怒られています（笑）。

ですので、ここは一つ、私の自叙伝をお読みいただくつもりで、ページをめくっていただければ幸いです。

タイトルを「辻説法」とさせていただいたのは、もちろん伯父の赤尾敏にあやかったものです。最後の記事では、伯父について書きました。私は伯父の足元にも及びませんが、目指す方向は同じつもりです。

共に、良い世の中を作っていくために、自分自身の行動・思考・感情を整えていきましょう！　それが、遠回りのようですが一番の近道であり、良い世の中を造る王道だと思っています。

令和二年五月吉日

目次

第1章

日本経済への提言

ジャパン・ファーストの気概を！

ホワイト・デーからの大騒ぎ

平成三十一（2019）年8月2日、日本政府は輸出管理で優遇対象となる「ホワイト国」から韓国を除外する方針を決定しました。ですから、今年からホワイト・デーは3月14日ではなく、8月2日になりましたね。今まで、ぐずぐずしていた韓国との付き合い方が大きく変わった重要な日になったと思います。

その日以来、韓国は政府も国民も想定通りの大騒ぎをしてくれて、私は怒りではなく笑いと共にそれを観察しました。10日後には韓国も日本を「ホワイト国」からの除外を決定。そして、日本製品ボイコットの運動はどんどん拡大していきました。例えば、ユニクロやダイソーが日本企業だからという理由で、その店にある韓国製の商品まで買わないのです。その逆もあります。韓国企業が経営しているスーパーマーケットで日本製のビールや食べ物も不買です。そんなことをしていたら、韓国企業や経済に大きな打撃になるのは明らかです。個人的には日本製を買いたくても、人目があって買えないという人もいるでしょう。集団心理とは恐ろしいものです…。

また、韓国の人は平成三十（２０１８）年には７５０万人ほど訪日しましたが、その数も昨年は△26％の５５８万人になりました。それでも、中国の９６０万人に次いで、第二位です。そして、最後のダメ押しで、韓国政府は日韓の軍事情報包括保護協定（ＧＳＯＭＩＡ）の終了を言い出したのです。この方針に対し、アメリカも強い憂慮を表明しました。アメリカ様まで失望させて、大丈夫ですか？　日本を敵国にすると、日本と同盟国のアメリカまで敵国になってしまうのですが…。さすがに、この件は土壇場で拳をおろしました。みっともない話です。

日本と朝鮮半島との長いつき合い

この爆発的なエネルギーを伴った韓国の反応に対して、日本政府と日本国民は極めて冷静だったと思います。「お互い感情的にならず、冷静な話し合いを」とトンチンカンな解説をしているのは大手マスコミぐらいで、日本側は落ち着いて対応をしたと思います。

日本は朝鮮半島との1500年以上に亘る長いつき合いの中で、何度も嫌な思いをしています。そして、「もうこりごり」と感情的になったこともありました。

たとえば、第二十一代雄略天皇（457～479年）は詔で「新羅は…狼の子のように人になれ従わず、ともすれば危害を加える心を持っており、飽食すれば離れ、飢えれば寄ってくる」とおっしゃっています。また、第二十九代欽明天皇（539～571年）は「新羅は卑しい国で、天に逆らい無道である。我が恩義に背き、我が官家を破り、民を殺し、国を滅ぼした」とおっしゃっています。古代の天皇も朝鮮半島とのつき合いにいろいろとご苦労があったことが、うかがえます。

そして、その後も半島とはくっついたり、離れたりを繰り返します。日本人は歴史からなにも学んでいません。いい意味で、忘れっぽいお人よしなのかもしれません。半島とつき合っても「百害あって一利なし」であるにもかかわらず、日韓併合までして、巨額の投資をしてしまいます。そして、今日に至る……なのです。

では、今回のホワイト・デーを機に、朝鮮半島とは距離を取ることができるのでしょうか？　私は期待を込めて、こんどこそ、距離が取れると思っています。その根拠は「波動」です。ジャパニズム48号に掲載された波動探求家の竹久友理子さんの「波動で視る韓国との付き合い方」に詳しく書かれています。波動というとわかりにくいかもしれませんが、要するに波長が合わない人とは無理してつき合わないということです。竹久さんも指摘していますが、日本人が注意することは一つです。それは、決して怒らないことです。怒りは相手のエネルギーと同期してしまいます。淡々と処理をすべきところは処理をし、あとは徹底無視を決め込むか、私のように笑っちゃうか、どちらかがいいでしょう。

製品の輸入を止めたアカオアルミ

日韓はお互いをホワイト国から排除しましたが、それは優遇措置を止めただけで、輸出を禁止するものではありません。そもそも、日本の輸出に関して、アジアでは韓国だけがホワイト国だったので、中国や台湾などと同等になっただけなのです。しかし、今回を機に、韓国との貿易を抜本的に見直してはいかがでしょうか。

まず、平成三十（２０１８）年の日韓の貿易額は次の通りです。韓国への輸出が５・８兆円。韓国からの輸入が３・６兆円でした。韓国が買いたいというものは、しかるべき手続きを取って、売ればいいのですが、日本から買うのは控えるという提案をしたいと思います。これは感情的な不買運動ではなく、「波動が合わないものは買わない」という観点で、３・

6兆円の輸入を徐々に減らしていくのです。

本来はメイド・イン・チャイナも波動が合わないので、買いたくはないのですが、輸入額が19・2兆円と韓国の5倍以上あります。中国製の排除、いわゆるチャイナフリーは段階的に進めればいいかと思います。それに比べて、影響力が少ないであろうコリアフリーから、まず始めてみるのです。もちろん、本丸はチャイナフリーですが…。

中韓から材料、部品、製品を輸入している企業は、政府に日中友好・日韓友好を求めるのではなく、他国からの調達に切り替えるか、日本の国内で仕入れ先を探してみてはいかがでしょう。ちなみにアカオアルミでは、数年前まで、アルミの鍋などを海外から仕入れていました。中国、韓国、インドネシア、タイからです。弊社が材料から一貫して商品を作れるにもかかわらず、海外から一部の商品を調達していたのは、「価格」が理由です。日本のホームセンターでは価格競争が厳しく、弊社で作ったメイド・イン・ジャパンの鍋は苦戦を強いられたのです。そこで、低価格帯の輸入品を品揃えの一環として、仕入れていたのです。

しかし、海外からの仕入れで売上を維持しても、弊社の工場にはなんの利益ももたらしません。そこで、数年前、私たちは20年近く続けていた海外からの仕入れを中止し、その分の売上は諦めることにしました。もともと、たいして利益も出ていなかったので、売上が下がっても利益は減りませんでした。

弊社のこの事例を振り返ると、マーケットの要望に応えて、より安いものを供給してきたことに合成の誤謬を感じます。バイヤーから「もっと安いものを」と言われ、真摯(しんし)に対応してきました。しかし、それでデフレを招き、日本のモノづくりを縮小させてきたのです。私たちは、量を売るというビジネスモデルを卒業したはずでしたが、まだ、それをカバーできるほどの質にも転換できず、中途半端だったのです。これからは、自分たちしかできないことに更に集中し、ブランド力を強化しなければなりません。弊社は血を流しながら、ビジネスモデルの変更をしているところです。

これはすべての日本企業にいえることです。そして、消費者にもいえることです。値段に左右されることなく、波動が合わないものを買わないことです。

バイ・ジャパニーズ法案を希望します

トランプ米大統領は平成二十九（２０１７）年に就任するとすぐに、アメリカ・ファーストの方針の下、「バイ・アメリカン、ハイヤー・アメリカン」政策の発表をしました。政府調達品や公共工事に占めるアメリカ製の割合を引き上げたり、外国人労働者がアメリカ人労働者より低賃金で働くことを阻止したりしています。トランプ氏は選挙活動から一貫して、国内産業の保護に強い意欲を示しているのです。全く、うらやましい限りです。

反対に、日本では安倍政権が一周遅れのグローバル化を進めています。「構造改革」「規制緩和」「民営化」というキャッチフレーズは必ずしも良い日本を作るために言われているわけではありません。ありとあらゆる部門の門戸を開けば、グローバル企業の食い物になるだけです。種子法は廃止され、日本の米などの種は守られなくなりました。魚業法、水道法は改正され、これからどんどん外資が参入してくるでしょう。ということは、グローバル企業に日本の資源やインフラが取られてしまうということです。安倍首相は「日本を取り戻す」といって、政権に返り咲いて8年目です。そろそろ「バイ・ジャパニーズ」法案で、国内産業を守っていただきたいし、「ハイヤー・ジャパニーズ」法案で、外国人労働者にはお帰りいただきたいと思います。多少の返り血は浴びても、足腰の強い経済を取り戻すために、政府も国民も覚悟が必要です。

農業やモノづくりを大切に！

令和元（2019）年、5年ぶりに熊本県にある幣立神宮（へいたてじんぐう）をうかがいました。幣立神宮は

１万５０００年の歴史を持つといわれている日本最古のお宮です。平成二十八（２０１６）年の熊本地震で被害を受けましたが、全国からの浄財で復興されていました。神宮では春木伸哉宮司のお話が、とても印象的でした。

「九州はインバウンドに目がくらんで、外国人観光客をたくさん受け入れている。しかし、それでは九州が良くならない。たとえば、中国はたくさん観光客を送り込んだ後に、急にストップさせる。それを何度か繰り返せば、観光産業は打撃を受け、経営が立ち行かなくなる。そのときに、経営権を買い取って、自分たちがオーナーになり、日本人従業員を低賃金で働かせている。観光立国という政府の方針は国を滅ぼしますよ…」という内容でした。

また、幣立神宮にも外国人観光客が来るようになったそうですが、写真を撮って、ウロウロするだけで、迷惑だとおっしゃっていました。つまり、神社の意味もわからず、ただの観光地と思っているのです。それでは、お互いのためになりません。

令和元（２０１９）年、外国人観光客は３１８８万人を超えましたが、政府は今年４０００万人になるよう目標を立てています。また、４・８兆円のインバウンドも８兆円へと目論んでいます。観光立国の方針にせよ、インバウンドの目標にせよ、動機が不純ではないでしょうか。つまり、すべてカネ目当てなのです。そして、カネのためなら外国人観光客が置いていく性病にも目をつぶるのです。

日本国内は少子高齢化で、経済がこれ以上伸びないという前提なのかもしれません。しかし、日本人の国内旅行消費額は22兆円もあるのです。なぜ、ここを大事にしようとしないのでしょう。

こういった構造は安いからといって輸入品を買い、日本のモノづくりをないがしろにしてきた構造と同じです。なぜ、日本人を大切にして、日本のモノづくりを守ろうとしないのでしょう。全ての判断基準がカネになるのがグローバル化なら、私たちはグローバル化を阻止して、日本の国柄や文化を軸としなければなりません。

また、春木宮司は農業の大切さも語っておられました。「人を雇わず、家族だけでトマトを栽培している農家は手堅くやっている。外国人オーナーの会社で、安月給で働くぐらいなら、家族で農業をやった方がよほど豊かになれる」と。

農業はまさに日本の国柄である調和が必要な仕事です。人々と調和し、自然と調和し、自然の恵みに感謝して生きる。誰でも、どこでもできる仕事ではないかもしれませんが、日本人が大切にするべき仕事だと思います。

3年前に公開された「サバイバルファミリー」という映画があります。ある日突然、電気が使えなくなり、東京にいる家族がサバイバルをしながら、鹿児島を目指すというストーリーです。漫画チックな話なのですが、ところどころ笑えないシーンも出てきます。

おカネ持ちの人が、お米が欲しくてロレックスの時計を差し出しますが、お米を持っている女性は「食えるもん持ってきな」といって、追い返します。おカネやブランド品が全く通用しないのです。そして、今年に入ってから、そのような価値観の転換が起きつつあります。

新型コロナウィルスの影響です。中国発の武漢肺炎ともいわれているこの新型ウィルスの蔓延で、世界は大混乱しています。そして、国境封鎖や都市封鎖が次々と行われ、ヒト・モノの移動がピタリと止まってしまいました。米国を中心に脱中国が始まっています。私たちは好むと好まざるとにかかわらず、脱中国へとビジネスモデルを転換しなければなりません。

習近平の国賓としての来日も延期ではなく、中止にしてください！　また、呼ぼうとしたら、間違いなくバチが当たりますよ！

中小企業の現場から見た日本経済

デフレが始まって20年

弊社は東京都練馬区にアルミ圧延工場、栃木県と群馬県に器物の加工工場があります。練馬の本社工場は有楽町線の地下鉄成増駅から徒歩8分、マンションに囲まれた静かな住宅地の中です。うるさい、臭いと時々ご指摘を頂きながら（汗）、土日も含め24時間、3交代で稼働させています。今年で創立73年ですが、私は亡くなった父の跡を継いで平成八（1996）年から製造業に携わっています。

さて、デフレ経済が続いて久しいですが、日本はいつからデフレが始まったのでしょうか？　それは橋本内閣が消費税を3％から5％に引き上げた翌年の平成十（1998）年からです。今年で、ナント23年目に突入！　私はデフレと共にこの二十数年を歩んできましたので、日本の産業、中でも製造業がいかにダメになっていったかを目の当たりにしています。

そして、自分自身も何度も危機を迎え、必死に耐え忍んできました。

たとえば、平成十（１９９８）年は黒字でも借入ができず、資金的にとても厳しい思いをしました。会社というのは決算書が黒字でもお金がなければ倒産します。それなのに、メインバンクからも借り換えができず、いよいよサラ金から借りようかと思ったその時、地元の信用金庫さんに助けて頂きました。日本中で「貸し渋り」が起きたのです。その前年、橋本内閣が財政再建を目指して、前述したように消費増税を始め、厳しい引き締め策を打ち、景気は一気に冷え込みました。そして、山一證券や北海道拓殖銀行が破綻し、「金融危機」が引き金となってデフレが始まったのです。

企業を襲った様々な経済危機

次の危機は平成十三（２００１）年のいわゆる「ＩＴバブル崩壊」です。この時はお客様が何社か倒産され、不渡り手形の累計が約1億円になってしまいました。そうなると、次は自分の番です！「これが本で読んだ連鎖倒産か!?」と焦りました。弊社自身も売上が下がり、決算書上も赤字になりました。収支が合わないのです。そうなれば、やることはひたすらコストカット。まず、自分の年収を大幅に下げて、それから社員の給料を下げるなど、様々な経費削減をしました。

私たち中小企業は社長も社員も普通の人です。なにか特別な能力があるわけでなく、できることは努力と節約ぐらいです。素敵な新商品を開発したり、画期的な製造方法でも見つけたりすればいいのですが、そのようなウルトラCはなかなかありません。弊社もせこいほどの節約をして、凌いできました。

その後、今から振り返ると実感なき景気回復があったように思います。しかし、マーケットは相変わらず価格競争が厳しく、デフレが続きます。

そして、平成二十（２００８）年に記憶に新しい「リーマンショック」が起こるのです。この時、弊社はダブルパンチを食らいました。一つは需要が減り量的に出荷高が落ちたこと、もう一つはアルミ地金の相場が暴落し、単価が下がったことです。ピークで４００円／kgだったものが、１８０円／kgまで下がったのです（令和二（２０２０）年5月現在は２５０円／kg）。そうすると、単価×量が売上ですので、売上自体が一気に減りました。また、倉庫で眠っている在庫の評価より、安く出荷しなければいけないような評価損も発生しました。「これでは、カルロス・ゴーン氏が社長でも黒字にはできない」と社内で愚痴を言ったものです。弊社も派遣切りをしたり、ベテランで頼りになる嘱託社員を泣く泣く契約終了にしたりしました。３５０人ほどいた従業員を３００人にまで絞って、縮小均衡をせざるを得ませんでした。

その３年後の平成二十三（２０１１）年には「東日本大震災」が起こりました。弊社では人的・物的被害はなかったものの、その後の電力調整、電気料金の17％値上げなどに悩まされました。経費をどんなに削減しても、予期せぬところでまたコストアップの要因が生まれるのです。

また、当時の民主党政権下では円高にも泣かされました。その数年前、為替予約というものが流行り、弊社もドルを買う必要はないにも拘わらず、メガバンクのＭ銀行から強く勧められ、５年間の契約をしていたのです。震災の年の10月に１ドル75円までの円高までになり５年で数億円の為替差損を出してしまいました。

その後、安倍政権となりアベノミクスが始まりました。いわゆる三本の矢とは「金融政策」「財政政策」「成長戦略」ですが、実際には「金融政策」がメインだったように思います。そして、日銀の黒田総裁が異次元の金融緩和をして、「２年でデフレ脱却」とおっしゃったのです。しかし、８年目の令和二（２０２０）年現在、未だにデフレからは脱却できていません。

デフレは需要＜供給

そもそもデフレとは何でしょう？　一言でいえば需要より供給が多い現象のことです。つまり、買い手より売り手が多いので、企業は必死に原価低減をして価格競争に励みます。そして、それでも売上が達成できないと、根拠なき値引きをして赤字でも売ってしまいます。そして、会社を潰さないため、さらにありとあらゆる原価低減をするのです。また、新規に人を採用する時は正社員ではなく、非正規社員で様子を見ます。挙句の果て、日本で作るとコストが高いからといって海外に工場を移転するようになります。お客様の要請で、泣く泣く海外に工場を移転した中小企業も枚挙にいとまがありません。弊社では工場こそ移転しなかったものの、前記のような雑巾絞りをして今日に至っています。

このような時、いくら日銀の黒田総裁がバズーカを撃とうが、企業は資金を調達するはずがありません。借入をして設備投資をしても、商品が赤字販売となってしまい、黒字で売れないのです。これでは投資した資金の回収ができません。「金利が低ければ、借りるでしょ？設備投資するでしょ？」と思うのは浅はかを通り越して、もはやマンガのように感じます。そんな簡単なことがなぜ東大を出た頭のいい人たちがわからないのでしょうか？　つまり、いくら金利を下げて、マネーをジャブジャブにしても、デフレのマーケットではおカネの使いようがないのです。むしろ、今までの借入を返済して、バランスシートの左右を均衡させようと思うものです。つまり、アベノミクスの第一の矢「金融政策」は始めから失敗するに決まっていたのです。

それなのに、日銀は平成二十八（２０１６）年、ついに金利をマイナスにまでしてしまいました。増やしたマネーは土地や金融商品というＧＤＰとは関係ないところに流れていってしまうだけなのに……。昨今、私と金融機関の支店長の話はお互いの愚痴になります。私が、「これだけの低金利では収支を合わせるのが大変ですよね」と申し上げると、「ホント、これでは合わないですよ」と支店長。もちろん、中小企業にとっては金利が低く借入ができることはありがたいことです。しかし、日本経済全体を考えると、全く無意味な政策に、皆が振り回されているような気がしてなりません。ちなみに、弊社では借りる必要のないタイミングで借入をしつつ、金融機関とは持ちつ持たれつの友好的なお付き合いをさせていただいているところです。

デフレ対策と同様、中小企業対策はいつも金融支援です。制度融資や設備投資の補助金などメニューは豊富ですが、私たちが欲しいのはおカネではなく黒字の仕事。むしろ、競争相手の誰かが倒れて、その分値上げでもできればいいのですが、皆、資金だけはあるのか、弊社を始め潰れそうでなかなか潰れません（苦笑）。そして、仁義なき価格競争が再び始まるのです。

消費者も可処分所得の減少から、生活防衛のため、1円でも安いモノを厳しい目で求めます。つまり、安かろう悪かろうは許されず、安くて良いものを望みます。もちろん、私も会社を出ればいち消費者です。品質の良いものが安いに越したことはありません。しかし、やはり価格設定には理由があると思うのです。手間暇がかかれば、やはりお値段はそれなりにするでしょう。むしろ「お、ねだん以上、○○○」と言っているような小売店は生産者から見ると迷惑な存在です。「この品質を維持するために、お値段はこれになります」という正直者は価格競争に敗れてしまうのです。弊社はアルミの鍋も販売していますが、ホームセンターのバイヤーから「どこ製でもいいから、安いの持ってきて」と言われたことがあります。Made in Japanにこだわっていると、棚から降ろされてしまうのです。

デフレの原因は人口減少ではなく、グローバル化

それでは、なぜこのようなデフレ経済に陥ってしまったのでしょう。それはグローバル化

が進展したからだと思います。人口減少がデフレの原因とおっしゃる方もいますが、人口が減少してもインフレの国もあるのですから、それは原因とは言えないでしょう。グローバル化というのはヒト・モノ・カネが経済合理性だけで国境を越える現象です。ですから、海外で生産された安いモノが輸入されて、価格競争が激化し、デフレが止まらないのだと思います。そして、衣食住の多くが中国などの外国製になり、コンビニや居酒屋で働くヒトもいつの間にか外国人になってしまいました。

このようなグローバル化の影響を強く感じ始めたのは平成十三（２００１）年から始まった小泉純一郎内閣の時です。つまり、竹中平蔵大臣と二人でせっせと構造改革をしてしまったからです。構造改革・規制緩和というと良いことのように聞こえますが、大方はグローバル化のためのお膳立てです。郵貯マネーを外資に差し出したり、派遣社員が増えたりしたのもこの二人の功績でした。

ところで、本来デフレ経済であれば、マーケットは縮小し、企業は縮小均衡させるため、人手を減らすなどの自己防衛をします。ですから、本来は失業者が増えるはずです。しかし、日本はデフレなのになぜか人手不足というおかしな現象が起きています。それは安倍さんが首相に返り咲いて、アベノミクスを始めた頃に端を発します。弊社でもそれまで、景気が悪い時はその分、人手の確保は比較的容易でした。大手が採用を控えるためでしょう。ところが今は相変わらず市場はデフレなのに、なぜか採用はインフレ。弊社でも人手の確保に苦労しています。都内のコンビニでは時給1000円超えになってしまいました。それでも、人が集まらないので、外国人を雇ってしまうのでしょう。

デフレ脱却と人手不足を一気に解決

ここで、デフレ脱却と人手不足解消を一気に解決する提案をしてみたいと思います。それは「値上げ」or「撤退」です。最初に定義したように、需要より供給が多いのがデフレです。政府は需要を増やそうと2本目の矢を「財政政策」としましたが、財政赤字を言い訳にして、なかなか大胆なカネの使い方はできずにいます。また、民間から需要を持ち上げるのは難しいのが現状です。そうであるならば、いっそのこと供給を減らせばいいのではないでしょうか。

例えば、人手が集まらないコンビニや居酒屋は潔く撤退してはいかがでしょうか。外国人を雇ったり、不毛な価格競争や長時間労働をしたりして、頑張りすぎてはいけません。ファミリーレストランが24時間営業を止めたり、不採算店を閉鎖したりするのは正しい選択のような気がします。

そもそも、企業はより良い商品やサービスを提供し、世の中から必要とされる仕事をしなければなりません。また、従業員にとってもより良い職場にしなければならないのはいうまでもありません。知恵と努力が足りず、それがかなわなかった場合は、潔く撤退しましょうという提案です。

そして、各企業は生き残りをかけて値上げをしなければならないと思います。少なくとも、赤字で売ってはいけません。品質なりのお値段をいただくのです。お客様のためといって、無理して赤字で売るのはまさに合成の誤謬。その美しい犠牲的精神がデフレを継続させてしまいます。

しかし、これらは言うは易し、行うは難しの典型です。私はこれらを自分自身に言いきかせて、実行しなければならないと思っています。日本の中小企業の皆さん、哀れな東芝やシャープのようになりたくなければ自社製品に磨きをかけて、それなりのお値段で売っていきましょう。それが、黒田バズーカよりはるかに効き目のあるデフレ脱却への道ではないでしょうか。

消費増税反対！〜「財政再建教」から目を覚ませ〜

デフレなのになぜ消費税アップ？

令和元（２０１９）年１月から始まった第１９８回通常国会で、是非とも成立させていただきたかった法案がありました。それは改正消費税法です！　そのときに８％だった消費税を凍結、あるいは減税してほしかったのです！　入管法改正のときのように十数時間でサササッと審議していただき、あとは党議拘束をかけてサクッと通すことはできたはずです…。

しかし、そんな淡い期待は裏切られ、消費税は予定通り、令和元（２０１９）年10月に８％から10％へ引き上げられてしまいました。案の定、10―12月期のＧＤＰは年率で７・１％のマイナスになりました。前回、消費税を５％から８％に引き上げた平成二十六（２０１４）年の４―６月期の△６・９％より悪化しています。「だから言ったでしょ！」以外に伝える言葉がありません。消費が落ち込むに決まっているのです。

さらに、年明けからは新型コロナウィルス騒動…。ダメ押しで、オリンピック延期…。日本経済はホップ・ステップ・ジャンプで奈落の底に落ちていくでしょう。しかし、安倍政権はついこの間まで「いざなみ景気を超え、戦後最長の経済成長」というご冗談を真顔で言っていたのです。事実を正しく認識しないと、対策も取れないと思います。まずは、実体経済をしっかり確認して、消費増税が誤りだったと、謝罪すべきでしょう。

叱責はこれぐらいにして（苦笑）、なぜ、私が消費増税に反対なのか、理由を二つ述べてみたいと思います。一つは、何といっても今現在、日本がデフレだからです。お役人に教えられたのか、安倍首相は「デフレからは脱却していないが、デフレではない状況」というセリフが大好きです。「デフレ」なんですか？「デフレではない」のですか？　国民をバカにしたような言い方は止めて、はっきりして下さい！　日本で製造業を営んでいる私の実感としては日本は22年間「デフレ」です。「需要＜供給」なので、需要が少なく、供給は輸入品も含め多いのです。

例えば、私たちが作った製品は競合他社との競争で、熾烈な価格競争を強いられます。つまり、売上があっても利益が出せない中小企業が多いのです。ですから、社員の給料を上げたくても上げられない状況が続いています。データで見ても、私たちの給料はこの22年間上がっていません。

そんなときに、消費に罰金を科すような消費税を増税すれば、間違いなく消費は減ります。そうすると、ますます消費（需要）は減り、デフレは深刻化していきます。例えば、手取り25万円のサラリーマンが毎月2万円を貯金し、23万円を使っているとします。もちろん、買い物をするときは消費税込みの価格ですから、もし、消費税が2％上がると、その分（4600円）、モノやサービスの消費を抑えなければ収支が合わなくなります。小学生でもわかる簡単な話です。

それとも、頭のいい財務省や政治家の方々は「消費税が上がった分は、貯金を取り崩してでも、プラス2％の消費をするはずだ」とシミュレーションされているのでしょうか？ どういう試算をしたら、このデフレ期に消費を冷やす増税をする根拠が導き出されるのか、不思議です。

「財政再建教」という宗教

また、過去の実態を見ても、消費税がどれだけ日本経済を毀損してきたかわかります。まず、そもそも消費税という間接税を導入したのは竹下登内閣でした。1989年4月から我々国民はモノやサービスを購入するときに３％の消費税を支払うことになりました。その当時の日本はバブル景気に沸いており、経済に対する影響は少ないはずでした。

しかし、翌年、大蔵省から不動産融資に関しての総量規制が出され、バブル崩壊の引き金となりました。ですから、この時は消費税そのものが景気悪化の原因ではありませんが、消費税導入後にバブルが崩壊したのです。そういった意味では縁起の悪いスタートでした。

その消費税を平成九（１９９７）年4月に３％から５％に引き上げたのが、橋本龍太郎内閣です。そして、この翌年から日本はデフレ経済に突入し、以来22年間抜け出ることができなくなったのです。日本人は右肩上がりの計画を作れなくなり、子が親の年収を超えることが難しくなりました。

この時は増税しただけではなく、社会保障の負担も引き上げ、さらには歳出削減をしたのです。なぜ、このような緊縮財政をしたのか？　それは、日本が「財政再建教」という宗教を信仰しているからです。財政再建のためなら、日本経済を沈めても仕方ないと思っているのでしょうか⁉　この宗教は財務省から信仰が始まり、政治家、マスコミ、国民へと布教されていきました。その宗教は現在まで根強く信仰されています。困ったものです…。

平成二十四（２０１２）年末に安倍内閣が発足し、デフレ脱却を目指し、アベノミクスが始まりました。いよいよ「財政再建教」から目が覚めるときが来たのか！　と私は大いに期待しました。しかし、その効果が一番期待される財政政策が不十分なまま、平成二十六（2014）年に消費税が8％に引き上げられてしまいました。

安倍首相も残念ながら、「財政再建教」の信者だったのです！　これで、デフレ脱却はまた遠のきました。そして、ダメ押しの10％…。皆さんの信仰心の強さに私はため息しか出てきません。

国債は国民の借金ではない

私は財政再建を優先することを宗教に例えて、揶揄しました。経済が落ち込んでいるときに、財政再建を優先して、国民から税金を取ったり、歳出を絞ったりしたら、余計に経済が悪化します。それをどんなに論理的に説明しても、財政再建が正義だという考えを変えない人が多いからです。

政治家は財務省に騙され、国民はマスコミに騙され、「財政再建のために消費税をアップします」と言われても、フランス人のように暴動を起こしません。それどころか、「子供たちの世代に借金を残すわけにはいかない」と思い、多くの国民が賛成してしまうのです。

しかし、二十数年前から一部の経済評論家は正論を言っていました。例えば、リチャード・クー氏や植草一秀氏は「財政再建を優先せず、まずは財政出動をして、景気を回復しなければならない」と。しかし、彼らはいつの間にかお茶の間から消え去ってしまいました。異教徒の布教は許されなかったのでしょう。その頃に較べれば、今は正論を述べる異教徒がだいぶ増えてきましたし、私も申し上げたいと思います。

現在、国の借金は1000兆円以上あるといわれていて、国民一人当たりでは800万円と脅かされています。これが「財政再建教」の教義の中心です。しかし、ここには大きな間違いがあります。借金をしている主体は「政府」であり、「国民」ではありません。国民は銀行などの機関投資家を通して、貸している側です。

例えば、Aさんが郵便局に300万円の国債を持っているとします。もし、国債を持っているときにAさんが死んだら、その資産は家族が相続します。これが借金でしょうか？　むしろ、いつでも解約できる貯金です。つまり、国債は国民の資産です。もし、国民が一斉に取り立てたら、日本政府は混乱します。しかし、それは銀行も同じことです。つまり、銀行に貯金をしている感覚で、国民は国債を買っておカネを預けているのです。そして、機関投資家も安定的な運用先として国債を買っています。皆から信頼され人気があるから、こんなに金利が低いのです。

もちろん、借金はいつか返さなければいけないものです。しかし、国債に関しては円建てで発行されていますし、償還期限が来ても借り換えることができます。また、政府のバランスシートを作れば、それに見合う資産があるといわれていて、企業でいえば債務超過ではないのです。さらには、政府の子会社である日銀と連結決算すると、国債は相殺されてしまいます。

デフレを真に脱却して、経済が順調に成長すれば、税収は自然に増え、財政再建に貢献していきます。そのように長い目で見れば、なんの問題もないのです。それなのに、病気で死にそうな人が点滴をしている時に、太るといけないと言って、ダイエットさせるようなものです。それが、「財政再建教」の人々の思考です。

また、実はウルトラCもあるのです。それは政府紙幣の発行です。この話は山口薫先生の『公共貨幣』（東洋経済新報社）で詳しく説明されています。現在の貨幣システムそのものは矛盾と問題を抱えているのですが、今回はその指摘はせずに、本のご紹介のみとさせていただきます。

日本は格差社会になった

消費税に反対している二つ目の理由は格差是正のためです。日本は今、米国に次ぐ格差社会といわれています。以前、30代の若手課長に「一億総中流っていう言葉を知っている？」と聞いたところ、「何ですか、それ？」という反応でした。若い人は日本にそういう時代があったことすら知らないのです。

なぜ格差社会になったのか。様々な理由はありますが、消費税の導入はその理由の一つです。生活保護の人でも、セレブの人でも1万円のモノを買えば、１０００円の消費税を支払います。その１０００円の相対的価値は所得によって、当然違いますが、税率は同じです。このように逆進性という特徴があるのが、消費税です。

もちろん、他国にも消費税のような税金はありますし、ゼロにしなくてはいけないとは思いません。しかし、日本についていえば、消費税が上がった分、実は法人税や所得税が下がっているのです。これでは共産党ではありませんが、金持ち優遇といわざるを得ません。もし、どうしても増税したいのならそれこそ法人税や所得税を元に戻し、あるいは分離課税になっている株や土地の譲渡所得を総合課税にしたらいかがでしょう。

今回、10％に消費税を上げるにあたって、軽減税率も導入されましたが、あまり評判がよくありません。とにかく、複雑なのです。例えば「みりん」はお酒なので10％、「みりん風調味料」は食品なので８％とか。笑い話のような本当の話です。同じ棚に陳列されたら、老眼の私には判別がつきません。また、小売店では新しいレジの対応を強いられ、負担が増えました。

テイクアウトとイートインで値段が変わるという事例もあります。今、コンビニだけでなく、持ち帰り弁当屋さんでさえ、イートインの席がある時代です。お店側のせっかくのサービスが台無しになる軽減税率です。おそらく、軽減税率を考えたお役人は国民がどういう生活をしているのか、ご存じないのでしょう。

いずれにしても、国民目線の軽減税率ではありません。どうせするなら、食料品は消費税をゼロにするとか、逆進性を少しでも緩和させるような制度にしてほしいものです。他国の消費税は税率が高い割に、総税収に占める割合が低いのは、大胆な軽減税率があるからだと思います。

デフレ脱却のために財政出動を

デフレ脱却は財政再建より優先されるべき課題です。デフレでは未来の価値が下がってしまうからです。将来に希望を持つことができ、経済が安定的に成長すれば、人々が豊かさを実感します。そうすれば、結果として、格差も自然と小さくなっていくのです。

肝心のデフレ脱却の方法ですが、「需要＞供給」にすればいいのですから、供給を下げるか、需要を上げるかです。不毛な過当競争は止めて、国民にとってためになる需要を伸ばすことです。

需要の担い手は個人消費者と企業と政府の三部門です。この中で一番大胆におカネを使い需要を作ることができるのが、政府部門です。デフレを脱却するために、国債を発行し、アベノミクスの2本目の矢である財政政策を数年間大胆に続ける必要があります。消費増税とは逆のおカネの流れです。使い道はたくさんあります。インフラ整備、防災対策、農業政策…。それなのに、消費税を上げたら、財政政策の逆噴射です。消費増税をした意味が私にはわかりません。

令和二（２０２０）年3月、新型コロナウィルス騒動の経済対策として、自民党の一部の議員が消費税ゼロを提言しました。私も賛同します。現金給付などと合わせて、ＧＤＰの約1割・50兆円以上の財政出動が必要です。財源はもちろん国債です。

第2章

移民で人手不足を解決するという過ち

日本を移民国家にしないで！

安倍首相がご乱心？

平成二十四（２０１２）年、安倍晋三氏は「日本を、取り戻す。」というスローガンで衆議院議員選挙を戦い、民主党から政権を取り戻しました。それなのに、それなのに（涙）…。民主党さえしなかった「移民受け入れ拡大」をし、日本の国柄を大きく変えようとしています。どうなさったのですか、安倍首相！　ご乱心ですか⁉

日本は日本語を話し、天皇陛下を敬愛し、八百万の神々を信仰する日本人が住む国です。それなのに、日本語を話さず、天皇陛下を何とも思わず、文化・習慣・宗教が違う外国人が大勢押し寄せて、暮らしています。

平成三十（２０１８）年12月、単純労働を含む外国人労働者の受け入れを拡大する「改正出入国管理法」が成立し、平成三十一（２０１９）年４月に施行されました。改正案は一定の知識・経験を必要とする「特定技能1号」と、熟練した技能が必要な「特定技能2号」の在留資格を新設しました。そして、1号は在留期限が5年ですが、2号はその更新もでき、10年滞在で永住権への道が開かれます。さらに、2号は家族の帯同も認めるそうです。

つまり、今までの「技能実習」制度は技術移転などの国際貢献がたてまえでしたが、「特定技能」は労働力として外国人を正式に受け入れるのです。また、「技能実習」の在留期間は最長で5年でしたが、事実上、それが無制限になる道を作ったのです。

また、受け入れ分野は法務省令で14業種が定められていますが、農業・漁業、製造業、サービス業の多くの分野に亘っています。当初、山下貴司法相（当時）は「外国人の受け入れ人数に上限を設けるとは考えていない」とおっしゃいましたが、これは誠におめでたいことです。EUの混乱ぶりをまさかご存じないのでしょうか？　自民党のある議員は「リハーサルのない社会実験になるのでは」と懸念しているそうですが、まさにとんでもない大実験が行われようとしています。

「移民ではない」という欺瞞

多くの人が実感しているところだとは思いますが、実は既にたくさんの外国人が日本に住んでいます。令和元（２０１９）年6月における在留外国人は約２８３万人だそうです。つまり、日本は住民の45人に１人が外国人なのです。在留外国人というのは90日を超えて日本に滞在している外国人のことなので、短期滞在者は含まれていません。いずれにしても日本は既に多くの外国人が生活しています。その半数の約１４６万人の人が仕事もしています。

それなのに、安倍政権は「外国人労働者」という言葉を使って、「移民ではない」とごまかしています。これは多様な議論を封じ込める不誠実な態度だと思います。国際的には1年以上、通常の居住地以外に住んでいる人を移民と定義をするようです。しかしながら、自民党は「移民とは入国の時点で永住権を持っている者」「就労目的の在留資格による受け入れは移民ではない」というナゾの定義しています。ここはしっかりと現実を国民に示して、議論を深めてほしいものです。

頑張れ野党！

平成三十（２０１８）年の臨時国会のときに、意外な頑張りを見せたのが野党です。今まで、国を売りまくった罪滅ぼしでしょうか？　それとも「安倍ヤメロ」の大方針の下、反射的に安倍首相のやることに反対しただけなのでしょうか？　理由は定かではありませんが、おそらく後者でしょう。

例えば立憲民主党の蓮舫議員は「新たに新設する一つの資格は、10年働いて暮らしたら、永住権への道が開かれる。つまり移民政策への入り口ではないですか？　違うんですか？」と舌鋒鋭く安倍首相に切り込んでいました。それに対して、安倍首相は「厳しい条件があるため、在留資格を取得しても、ただちに永住権が認められるのではない」「いわゆる移民政策ではない」と苦しい答弁を繰り返していました。また、福山哲郎議員は「きりがないぐらい問題点が噴出している。しっかり質疑したい」と信じられないほど、まともなことを言ったのです。

こんな冗談のような時代が来るとはつい最近までは思いませんでした。まるでマンガです。二重国籍だった蓮舫議員や出自に疑問を持たれている福山議員が移民政策に文句をつけて、「日本を、取り戻す。」と言っていた保守派の安倍首相が移民政策を推し進めるとは…。

平成二十九（２０１７）年の衆議院議員選挙での自民党の６つの公約と細かい政策集にざっと目を通しましたが、「入管法を改正して、単純労働の外国人労働者を受け入れる」とは書いてありませんでした。もしかしたら、とても小さな文字でどこかに書いてあるのかもしれませんが、「移民政策」については国柄に関わる大きな問題です。それを公約にも入れずに、選挙に勝ったからといって、推し進めて良いわけがありません。もっと言えば、EUを離脱すべきかどうかについて英国が行った国民投票のように、ワンイシューで国民に是非を問うべき大きな問題だと思います。

人手不足を解消してはいけない

日本は確かに3K職場を中心に慢性的な人手不足が続いています。かくいう我が社も24時間稼働している工場があり、人手の確保にはいつも苦労しています。菅義偉（すがよしひで）官房長官は「外国人に働いてもらわないと日本はもたない」と述べて、入管法の改正に尽力しました。令和十二（2030）年に人手不足644万人という数字まで出ていますが、本当に日本は人手不足でダメになってしまうのでしょうか？　私は大きく異議を唱えたいと思います。理由は二つあります。

一つはデフレ脱却のためです。デフレというのは単なる景気減速ではありません。「需要＜供給」という状態が長く続き、構造的にそれが固定化した状態です。つまり、通常の景気の波であれば、それぞれの企業が生産やサービスを若干絞りバランスを取れば、しのげたのです。

しばらくすれば、またモノやサービスがお客様に必要とされて元の状態に戻ります。

しかし、平成十（１９９８）年からデフレが22年続いているということは、単なる景気の波ではなく、構造的に供給過多なのです。反対側から見れば需要が少ないと言えますので、今までのデフレ対策はいつも需要を喚起することでした。でも、22年間デフレということは、いくら需要を刺激しても受給のバランスを取ることができないのです。ですから、いよいよ供給を減らす時がきました。つまり、人手が集まらない企業や価格競争に敗れた企業は市場から粛々と撤退しなければならないのです。

私も24年製造業をやってきて、人手は半分近く減りました。また、中国製のモノに価格競争で敗れた製品は廃番にしていきました。そして、なんとか赤字にならないように製造原価を徹底的に下げて、利益が残るものだけを作るようにしています。それでもダメなら、廃業するしかないと腹をくっています。このような覚悟を日本中で積み重ねれば、デフレが脱却できるのです。

しかし、日本の経営者は善かれ悪しかれ、真面目です。もし、人手が集まらなければ外国人を雇ってでもモノを作ります。お客様の要望にお答えして、赤字でも売ります。そして、指定された納期に間に合わせるために、たくさん残業して、仕様を落としてまで、なんとか納品します。それでも輸入品の価格に負けるようなことがあれば、海外に工場を移転してまで安くて良いものを作ろうと努力を重ねるのです。この努力が合成の誤謬を生みます。一社の企業努力が、デフレを終わりにしないのです。

当然、様々なところに無理が行きますので、社員がオーバーワークになったり、仕様の約束が守れなかったりとトラブルにつながります。もう、そのような無理をするのは止めて、できる範囲で供給をしていけば良いのではないでしょうか？

オリンピックに向けて建設業が忙しかったと聞きますが、無理して建設をする必要はありませんでした。当初の方針は「コンパクトでお金をかけないオリンピック」だったはずです。今ある建物を使う。今いる人員で建てられる物だけを建てる。それが、先進国で開催する21世紀型のオリンピックです！

介護業界も同じです。介護する人を介護される人に合わせて供給する必要はありません。国民一人一人が健康寿命と本来の寿命を一致させて、最期の日まで自立すれば良いのです。自立どころか、皆がスーパーボランティアの尾畠春夫さん（80歳）のように誰かの役に立てば良いのです。

このように、ほとんどの仕事が実は要らないのです。しかし、この暴論が通用しない仕事があります。それは農業、林業、漁業です。ただでさえ、日本は食料自給率が約4割と低く、これ以上輸入に頼ると危険だと思います。食料確保は国防上必要なことだからです。ですから、農業などの第一次産業は人手が集まらなければ廃業すれば良いとは言えません。助成金を出してでも、残さなければいけない分野です。あるいは、健康に問題のない生活保護受給者を第一次産業に誘導できれば、一石二鳥です。

遅きに失した感もありますが、農業などは大切な仕事であるということを子供たちに教育しなければいけません。しかし、希望もあります。今、志の高い老若男女がIターン、Uターンで地方へ行き、農業に挑戦しています。この動きがアフターコロナで爆発的に加速していくことに期待しています。

AIに仕事を奪われる!

目先、人手不足だから外国人を入れるということに、大反対であることのもう一つの理由はAIが登場したからです。様々な専門家が未来を予測していますが、世間では「AIに奪われる職業ランキング」があちらこちらに示されています。しかも、それは遠い将来ではなく、5～10年でやってくるのです。私は55歳ですから、何とか逃げ切り世代かもしれませんが、私たちの子供はＡＩがやらない仕事を見つけなければならないのです。

その時に、移民まで日本にいたら、どうなるのでしょう？　まさに、仕事の奪い合いです。そのような未来が簡単に見通せるのに、平成最後の御代に移民を入れる法改正をなぜしてしまったのでしょう。

また、これから日本は緩やかに人口減少していきますが、もうそれに反比例して経済成長を追いかける時代ではありません。人口とＧＤＰを無理に増やす必要はないのです。人口が減った分だけ、ＧＤＰが下がるのは自然なことです。永遠に右肩上がりの設計図はむしろ不自然なので、量より質という国づくりをしていかなければいけません。まさに、世界に先駆けて日本が範を示さなければならないのに、未だに昭和スタイルの経済成長を追いかけるのは時代錯誤です。

国籍の意味

冒頭に「日本は日本人が住む国」と述べましたが、これは私が差別主義者だからではありません。私には差別意識がないばっかりに、かつて若気の至りで国際結婚をしたからです。

しかも、ブータンという国の人と…。二人の子供はいわゆるハーフですが、日本で生まれて日本人として生きています。

残念ながら、子供たちのお父さんは日本に馴染めず、国に帰ってしまいました。私も子供を産む前はブータンに住んでいたのですが、外国で暮らすというのは本当に大変です。

ですから、「郷に入っては郷に従え」という気持ちでその国に馴染むのはとても難しいと実感しています。中には、日本に来た外国人で日本語を上手に操り、日本人より日本人らしい人もいますが、そのような人は例外です。もちろん、そのような人には日本にいていただいて、日本人に気づきを与えてほしいと思います。しかし、大抵の人は自分の言語・文化・習慣・宗教を変えてまでその国に馴染もうとはしません。

遠い将来、日本という国土に様々な民族が住むということもあるかもしれません。しかし、世界が混沌としている現在、日本人は天皇のしらす国の国民として、範を示さなければならないと思っています。つまり、日本は大調和の実践をする日本人が住む国です。

人間の魂には男女の別や国籍はありませんが、この三次元に生まれてくるときに自分のミッションを果たすため、性別・親・国籍を自分で選ぶそうです。その意味からも、生まれた国から安易に移動しないほうがいいと思います。

外国人労働者はいらない！

働き方改革関連法が成立

平成三十（２０１８）年6月、私が懸念していた「働き方改革関連法」が成立してしまいました。そして、大企業では平成三十一（２０１９）年4月から時間外労働の上限規制が始まり、中小では今年の4月から始まりました。同一労働・同一賃金など公正な待遇の確保については、大企業が今年から、中小は令和三（２０２１）年4月から予定されています。

地方自治体も現場は非正規職員に頼っている面が多いようですが、正規職員と同じような待遇にする予算はありません。ですから、非正規社員に賞与を支払う代わりに、月々の報酬を下げて対応しているところもあるようです。ない袖は振れないのは民間企業ももちろん同じです。

先日、私が講演をしたとき、話の流れで「働き方改革の弊害」に少し触れました。「なにが、働き方改革ですか！　そもそも、一番働いているのは中小企業の社長や自営業の人ですよ」と言ったとき、拍手喝さいを浴びました。経営者向けの講演会ではなく、一般の方に向けて話したのですが、思いのほか皆さんにウケて、びっくりしました。それだけ、昨今の流れに国民は違和感を持っているのだと改めて思いました。

「M字カーブ」は悪いことではない

平成二十九（２０１７）年の3月に中小企業庁が発表した「人手不足対応ガイドライン」というものがあります。そこでは、生産年齢人口が減少する中、人手不足はこれからますます厳しくなると指摘。まったくその通りで、ここまでは中学生でもわかる内容です。しかし、その対応策には疑問があります。既に働いている人には残業規制をしておきながら、「女性、高齢者、外国人等の多様な人材に視野を広げる」とあるからです。結論から申し上げると、女性↓△、高齢者↓◯、外国人↓×、と私は思っています。その理由は次の通りです。

まず、女性について△としたのは、個人差、時期などがあって、一概に「女性も労働者だ」と言いたくないからです。人によっては、働く必要がなくても、外で働くことに生きがいを感じる女性もいることは確かです。しかし、私の周りを見る限り、女性はやはり子育てや家庭を優先したいという人は少なくありません。

女性の労働力率に「M字カーブ」というものが存在するのも、子育て期間中の女性が離職するからです。本人の希望でそうしている場合が多いと思いますが、昨今の論調ですと「M字カーブ」はダメで、それをどう無くすのかということに力を注いでいます。ですから、仕事と子育ての両立のために保育園をたくさん作っているのです。しかし、本来は女性が安心して家庭で子育てができる環境を整えることが先なのではないでしょうか。経済的理由で働かなくてはいけない人も多いと思いますが、保育園を作る費用で、子育て手当を支払うこともできるはずです。ちなみに、本社工場がある練馬区が負担する保育園のコストは0歳児で月50万、年間600万だそうです。つまり、理論上では月10万円、年間120万円を5家庭に配ることも可能です。

女性が家庭で働くことに賃金は払われません。しかし、皆が隣の家の子育てや介護をすれば、賃金が支払われ、GDPが伸びるのです。これは強烈なブラックジョークですが、昨今の日本はそのような方向性になっています。家庭での家事、子育て、介護は尊い仕事です。ですから、その主役である女性をいわゆる職場での労働力と考えるのは慎重にしてほしいので、△にしました。

私自身のことを言いますと、長男を産んだ1か月後に父が亡くなり、父の会社を継ぐことになりました。すぐに子供を保育園に入れ、働き始めたのです。以来、下の子も含め保育園には大変お世話になりました。9時～17時で働くとしたら、通勤時間も含め8時～18時の10時間も子供を預けるのです。それでも足りないときは母や妹の手を借りました。迷いがないと言ったら嘘になります。子育てと仕事の両立とはいえませんでした。明らかに子供を犠牲にしながら仕事をしてきました。

ですから、保育園を作れば女性が子育てと仕事の両立ができるなどと安易に言って欲しくないのです。子育ても仕事も片手間にできるものではありません。どちらかが犠牲になるかもしれません。あるいは、両方とも「できる範囲でやる」という割り切りが必要です。私の場合は母と同居していることが大変助けになりました。

人生のベテランが増える豊かさ

一方、高齢者の方には働き手として、身体が動く限り頑張っていただきたいと思います。もちろん、現役のときと同じように働くことは難しくても、自分のできる範囲でいいのです。老人ホームで毎日趣味やゲームをすることも否定しませんが、退屈にならないのでしょうか？　本来、人間は誰かの役に立ちたいという本能を持っていると思います。

以前、弊社では定年退職した人を数名呼び戻したことがありました。平成二十六（２０１４）年の消費税増税のための一円玉増産で、急きょ人手が必要になったからです。皆さん、気持ちよく復帰していただいて、「家にいても退屈だし、会社に来た方が健康にいい」と言ってくださいました。もちろん、身体の調子が良いからこその言葉だとは思いますが、ありがたいシルバー軍団の復活でした。

現在55歳の私も、死ぬ日まで自立した生活を送り、さらには世の中になんらかのお役に立ちたいと思っています。必ずしも、賃金を得る仕事ではなくても、地域の子育ての援助や見守りのボランティアでも立派な仕事です。そうすれば、人手不足の保育士やガードマンの補てんが僅かながらでもできるはずです。

ちなみに、私の父は中小企業の経営をしていたので、まさに77歳で死ぬまで現役を貫いた人でした。大正生まれで、戦争中、満州に行っていた軍人でしたから、最後まで精神的に自立していました。その一方で、いつでも死ぬ準備はしていましたので、遺書は毎年書き換えていたようです。父は特別な死生観を持っていたのではなく、本来の日本人らしい生き方をしたのだと思っています。寿命は有限と心得ていて、今日一日の最善を尽くす。

そのような生き方をし、さらには健康に留意し、健康寿命と最期の日をできるだけ０日に近づける。そうすれば、医療や介護の負担が減るだけでなく、世の中の支え手としての高齢者が増えるのです。高齢者という言い方も失礼だと思います。あくまでも人生の先輩です。

これからの少子高齢化を畏れることはありません。人生のベテランがたくさん増えて、成熟した社会に日本が突入するのです。ボランティアで働いてくれる人が増えれば、ＧＤＰには反映されませんが、むしろ幸せで豊かな社会が実現するのではないでしょうか。日本は世界に先駆けてユートピアのような社会を実現し、範を示す役割があります。ですから、賃金を得る得ないにかかわらず、いわゆる高齢者を働き手として考えることには大賛成です。

ＥＵの失敗に学べ

三番目の「外国人」に関しては、人手不足の補てんとして考えることには反対です。理由は単純明快、既にＥＵで「失敗」という答えが出ているからです。当初、ＥＵは域内の労働者の移動を自由にし、しだいに域外の外国人労働者も受け入れるようになりました。今の日本と同じで、自国民がやりたがらない辛い仕事を安い賃金でやらせていたのかもしれません。ところが、その数がどんどん増え、自国民が失業するようになっているにもかかわらず、移民や難民の流入は止まらず、今や社会不安まで引き起こされています。

そもそも言葉や文化、宗教、習慣が違う人たちと国のアイデンティティを築けるのでしょうか？　私たちは最終的には地球人ですが、国籍に関係なく一つになるには、まだまだ越えなければならない課題がたくさんあるように思います。

例えば、ドイツでは5人に1人は移民といわれています。ドイツ人はキリスト教徒で、移民の多くはイスラム教徒です。そして、移民受け入れに積極的だったメルケル首相も、平成二十九（2017）年の総選挙で議席を減らしたために、軌道修正をせざるを得なくなっています。

そして、一度移民となれば、失業しても自分の国に帰らず、家族まで呼んで定住してしまうのです。彼らが失業すれば失業保険、病気をすれば医療費、家族が増えれば子供の教育費、さまざまなコストが発生してきます。人手不足の穴埋めにと都合よく外国人を集めても、最終的には国が負担するコストも大きくなるのではないでしょうか。また、外国人労働者が入ってくることで、仕事の奪い合いになり、結局、賃金は低いままになってしまいます。企業側から見れば良いことかもしれませんが、国民から見たら悲惨です。

そして、日本も既にこのようになっているのです。しかし、政府は「移民ではなく、外国人労働者」と言って、誤魔化します。ちなみに、平成二十四（２０１２）年、民主党政権は高度人材の永住権取得までの期間を10年から5年に短縮しています。私はこのとき、激怒しましたが、ナント平成二十八（２０１６）年4月の「産業競争力会議」で安倍首相が「永住権取得までの在留期間を世界最短とします」と宣言してしまったのです。この方針を受けて、法務省は高度人材に関しては、１年で永住権の取得を可能にしました。もっとも本当に高度な人材なら、日本人以上に日本人らしい人でしょうから、永住しても問題ありません。しかし、実際には法律をすり抜けて、日本を食い物にする外国人がたくさんたくさん入ってきそうです。安倍首相は民主党より外国にオープンなのに、どうやって「日本を、取り戻す。」のでしょうか？

反グローバルで日本を再構築

ＥＵで失敗した移民政策を何周も遅れて日本が導入する必要はありません。しかも、今、日本はデフレです。安倍首相が何度も「デフレではない状態になった」と言っても、デフレです！　国民の賃金が20年間も上がらないのです！　そんな時に人手不足だからといって、外国人労働者を入れたら、また、賃金が下がるではありませんか！　挙句の果てに「同一労働・同一賃金」ですよ。低い方に合わさるに決まっています。また、政府はＡＩによる産業構造の変革を推進しているではありませんか。これから多くの職業がなくなるかもしれないときに、外国人労働者を増やして、どうするつもりでしょうか？

どういうビザで働いているのかわかりませんが、日本は既に外国人で一杯です。都心部ではコンビニや居酒屋に。私は豊島区に住んでいますが、静かな住宅地のクリーニング屋や蕎麦屋にまで、外国人が働いています。また、池袋西口、北口はチャイナタウンのようになっています。子供の頃から慣れ親しんでいる街ですが、最近はあまり歩きたくない場所になってしまいました。

また、地方の工場や農業漁業の現場にも外国人はたくさんいます。ですから、メイド・イン・ジャパン・バイ・チャイニーズ（中国人によってつくられた日本製）というのは、よくある話です。品質やサービスの低下はだんだん実感するようになりました。都心部も地方もここは一度立ち止まって、社会のあり方を再構築する時期ではないでしょうか？　地方自治体も大学も、人が足りないからといって外国人で穴埋めしてはいけません。現状維持を求めるのではなく、価値の創造。簡単に申し上げると量より質です。日本人の質を高めて、日本人しか作れないモノやサービスを創り出していくのです。もちろんかなりの知恵が必要になりますので、経営が成り立たない自治体や企業も出てくると思います。しかし、現状の延長線上に未来はありません。

世界がグローバル経済に突入して、ヒト・モノ・カネが自由に国境を越えて移動しても、日本だけは地に足をつけて、ローカル経済を充実させていきましょう。物々交換や家事・ボランティアも含め、日本人が幸せに暮らせる実体経済があればいいのです。私の友人・知人たちが地方に移住して、新しいコミュニティを作り始めています。そういった点と点がつながったとき、真に日本を取り戻すことができるのだと思っています。

人手不足の中での残業規制

野党のツッコミは的外れ

平成三十（2018）年3月、安倍晋三首相は働き方改革関連法案等について次のように述べました。

「裁量労働制度に関わるデータについて、国民の皆さまが疑念を抱く結果になっております。そこで、今回提出する働き方改革法案の中において、裁量労働制については全面削除するように指示いたしました」

安倍首相はその年の1月下旬、厚生労働省の不適切なデータをもとに「裁量労働のほうが一般的な労働者より労働時間が短い」と答弁してしまったのです。もちろん、誤りに気づいた後は撤回と謝罪をしましたが、野党は鬼の首を取ったように大騒ぎをしました。ですから、安倍首相が先のように働き方改革関連法案を修正せざるを得なかったことに、野党はそれこそ大喜びしたのです。

私も「働き方改革」には色々問題があると思っていますので、政府が考え直してくれることは歓迎したいのですが、今回の修正は場当たり的です。そもそも、野党のツッコミも的外れで本質的な議論は相変わらずできていません。データの間違いを指摘するのではなく、今回の働き方改革で本当に国民は幸せになれるのか、人手不足の中、日本経済にとって悪い影響は出ないのか、国益に沿った視点で議論をするべきでしょう。

残業規制とバーターだった裁量労働制

そもそも今回の働き方改革関連法案には様々なことが盛り込まれて、一貫した思想がないように思っていました。残業規制をする一方で、裁量労働制の対象範囲を拡大しようとしたり、高度プロフェッショナル制度を導入しようとしたり…。

裁量労働をすれば一般的に労働時間は長くなると思います。短い時間で成果を出せる人は例外的な人です。私は厚生労働省のデータなど見ていませんが、裁量労働をしている人が17時に帰ることは難しいと容易に想像がつきます。ですから、基本給が高い人の残業代が抑えられるという側面は否定できません。つまり、経営側に有利、働く人に不利とみられます。

今回、安倍首相が裁量労働制の拡充を諦めると、野党は大喜び。そして、その支持母体である連合も大喜びだったようです。その反対に、経済界はがっかりです。挙句の果て、自民党内からも「規制強化の部分だけ残るのなら、法案提出を止めてしまった方がいい」という声も出ているとか…。現に、平成三十（２０１８）年3月2日付の産経新聞には「自民、残業上限規制に大荒れ」と大きな見出しが出ていました。えっ、賛成、反対、どっち？

そして、私はやっと気づいたのです。今回の法案は経済界と労働組合の両方に良い顔をしたかっただけなのだと。つまり、野党の支持層を切り崩すために、残業規制を推し進める一方で、自民党の従来の支持層のために裁量労働制を拡充しようとしたのです。それによって、残業規制をある程度骨抜きにしようとしていたのが本音ではないでしょうか。

私は昨今、自民党が言い出した「働き方改革」というのは日米合同委員会の〝ご指示〟による壮大な日本弱体化計画だと思っていたのですが、単なる票集めの法案だったのかもしれません。あるいは、憲法改正のための連合への迎合だったという人もいるでしょう。どうりで、賃上げ3％も経済界に連呼していました。その代わりに裁量労働制…。だから安倍政権が推し進める「働き方改革」は矛盾だらけだったのです。

そこへきて、このデータの不備…。結局、残業規制だけが先行するなど、野党に追い風が吹いてしまいました。これに気を良くした野党は次の追及の矛先を「高度プロフェッショナル制度」に向け、「残業ゼロ法案！」「過労死法案！」などと言って、大反対するでしょう。私はそれに関してはどちらでも良いと思っています。もともと、年収１０７５万円以上の高度プロフェッショナルでなくても、管理職になれば残業代はつきません。それよりもこの人手不足の中、残業規制に罰則までつけて、どうするつもりなのかを政府に問いただしたいと思います。

残業規制をすると助成金？

早速、安倍首相が裁量労働制拡大の削除をコメントした2日後、中小企業向けの助成金が発表されました。その名も「時間外労働等改善助成金」。もう、まるでコントです。残業規制を求めておきながら、自民党支持層である中小企業経営者のために助成金です。しかし、中身を確認すると、たいして実効性のない、笑いがこみあげてくるようなメニューです。

例えば、「団体推進コース」では、３社以上でつくる中小企業の事業主団体を対象に、労働条件改善に関する会議の開催などにかかった費用を助成する…とか（笑）。皆で会議をして、生産性向上のいいアイディアが出ればいいですが、どうなんでしょう？

また、「時間外労働上限設定コース」というのもあります。出退勤を管理するソフトウエア導入やコンサルティングを受ける中小企業に最大150万円助成する…そうです（笑）。ソフトウエア会社やコンサルティング会社に利権でもあるのでしょうか？　いずれにしても、150万円を1回もらったぐらいでは、生産性向上や人手不足解消は期待できません。試しに申請してみてもいいのですが、様々な書類を用意しても、焼け石に水の助成金です。これでは人手不足の中、残業を減らしていくというのは難しく、結局、仕事量を減らさざるを得ない中小企業も出てくると思います。

このほか「働き方改革推進支援センター」を各都道府県に47か所設置し、専門家による相談を行う。あるいは中小企業基盤整備機構が設置している「よろず支援拠点」には「人手不足アドバイザー」なるものを用意してくれるそうです…。税金を使ってアドバイスしている暇があったら、その人に我々中小企業の現場で働いて欲しいです！　いずれにしても根本解決には程遠い中小企業対策なのです。

人手不足の乗り切り方

日本は22年間デフレが続いていますが、ここ数年はなぜか人手不足です。本来、デフレ経済ですと、価格競争に負けた企業が市場から撤退し、その分、人手は余るはずです。しかし、アベノミクスで金融緩和だけは続き、なかなか倒産はしないのです。ですから、デフレのまま人手不足が起こるという教科書にない状況がこの７年ほど続いています。

弊社でも製造現場のみならず、経理・営業など、どの分野においても人手の確保には苦労しています。また、高卒と大卒の新入社員も毎年数名採用しているのですが、最近はとても厳しい状況です。また、入る人が少ないのに、辞める人は後を絶ちません。二百数十人の会社で、毎年、10人以上は退職します……。大丈夫か⁉　アカオアルミ！　辞める理由は様々です。直属の上司とケンカした（苦笑）、病気で仕事ができない、友人の会社を手伝う、定年退職に際し嘱託を希望しなかったなど……。

「残業代が減ったので」という理由の退職者も出てしまいました！　40代の男性社員で扶養家族は３人。私はこのことを深刻にとらえて、残業がなくてもなんとか家族を養っていける基本給を払えないものか、役員と相談しました。

弊社のように競争の厳しい製造業においてベースアップは製造原価の上昇に直結します。もちろん、役割が変わったり、スキルアップしたりすれば給料は上がります。しかし、同じ仕事を同じようにしている人の給料を簡単には上げられないのです…。我々中小企業経営者はこの22年間、デフレでひどい目に遭っていますので、おいそれと右肩上がりの未来を描けないのです。結局、賞与で弾力的に対応することにしました。

練馬にある本社工場は3交代で24時間、アルミの圧延をしています。先ほども言ったように退職者が相次ぎ、現場は約70人ですが、退職者が数名出たときも、補充はしませんでした。私が30代の若い工場長に「補充しなくて大丈夫ですか？」と聞くと、「現場内で異動をしながら対応しています」とのことでした。私は意地悪く「じゃ、最初からその人数でよかったのでは？」と聞くと、今度は生産担当役員が「作り方や管理方法を変えて、効率よくなりました」と答えてくれました。これが、我が社の生産性革命です！

人手不足を残業と根性で乗り切りながら、生産性も上げるように知恵を出すしかないのです。助成金でコンサルタントの下手なアドバイスなんてもらっても仕方ないのです。また、政府は生産性革命というとすぐに設備投資のメニューを提示しますが、製造業は既に必要な設備投資はしているのです。

弊社も創業73年目ですが、今まで毎年のように様々な設備投資をしてきました。作業の標準化が難しく自動化できないところや、人がやった方が早くて安いところが残っているのです。もちろん費用対効果を考えずに設備投資していいのなら、むやみやたらに投資しますが、償却期間内に費用を回収しようと思うと、慎重にならざるを得ません。

ですから、設備に依存するのではなく、作り方や管理方法、そしてそれをきっちり守らせるしつけが大切になってくるのです。そして、品質や安全に対する意識を繰り返し教育するなど、基本的なことに終わりはありません。

人工知能に期待できるのか？

安倍首相は「ＩｏＴ、ロボット、人工知能」などのイノベーションに期待していますが、まだまだ時間がかかるように思います。また、残念ながら、私たちは身の丈に合った改善しかできないのです。現に今までも、使いこなせなかった自動化設備は枚挙にいとまがありません。もちろん、人工知能が進めば安くて使い勝手のよい機械がでてくると期待はしているのですが…。

先日、弊社で導入したロボットは段ボールを組み立てて、内側にビニールをかぶせるというものでした。それが約１０００万円だったのです。私は取締役会で「人間がやった方がいいんじゃない？」と苦笑いしました。そして、ちょっと怖い近未来を想像したのです。生産計画や生産方式はロボットが指示をして、単純作業を人間がしている現場を…。

人工知能が進めば、人間は単純作業から解放されて、より人間らしい仕事ができるかのようにいわれています。しかし、産業構造がどのように変わるのかは未知数なので、楽観視はできません。例えば、外国人観光客向けのホテルが増えていますが、客室の掃除の人手が足りないそうです。将来、予約管理や受付はすべてロボットがやって、掃除係が人間かもしれません。

いずれにしても、目の前の人手不足を人工知能で一足飛びに解決できないことは火を見るより明らかです。もう少し時間がかかるでしょうし、また、どのように変わるのか、注視しなければなりません。

それでも外国人労働者はいらない

人手不足対策は各企業、さまざまに工夫されていると思いますが、一番やってはいけないことは外国人労働者に依存することだと思います。もちろん、他に手がなければ仕方ないという気持ちはよくわかりますが、それを政府が推進するのはどうかと思います。中小企業庁が示した「人手不足対応ガイドライン」では、「女性、高齢者、外国人などの多様な人材に視野を広げ」とあります。極めて短絡的です。あるいはわざと日本を壊そうとしているのでしょうか？

外国人労働者を受け入れてどうなるのかはＥＵを見れば、答えは出ています。なぜ、何周も遅れて、ＥＵの失敗の後追いをするのでしょうか？　人のふり見て、我がふりを直さなければいけません。「移民や難民はＮＯ！」というのが世界の答えです。

弊社の事例を示したように、人手不足の解決方法は残業と根性と知恵出しです。それでもダメなら、粛々と廃業しなければならないと思っています。私の父の遺言は「人を得なければ閉鎖せよ」です。人がたくさん集まるような職場にするのが私の永遠の課題ですが、父の遺言は私に勇気と覚悟を与えてくれています。

人手不足の原因は人材のミスマッチ

景気は下方修正？　戦後最長？

平成三十一（2019）年3月、内閣府は1月の景気動向指数を発表しました。3カ月連続の悪化でしたので、基調判断は「下方への局面変化を示している」と下方修正しています。しかし、菅義偉官房長官は記者会見で、「景気は緩やかに回復している」という現状認識を強調しました。また、平成三十一（2019）年1月に達成したとみられる戦後最長景気を「更新している」という見解も変えませんでした。

内閣官房長官は内閣府のメンバーのはずですが、重要な判断について意見がバラバラでもいいのでしょうか？　まさか、景気動向指数による景気判断は有識者がしているので、内閣とは関係ないとでもおっしゃるのでしょうか？　いずれにしても、データ改ざんの問題もありますし、内閣が示す景気の判断というのは大変あやしくなってきました。

繰り返し述べておりますが、日本はまだまだデフレです。多くの国民は景気回復を実感していません。どんなに「いざなぎ越え」「いざなみ越え」と政治家がアピールしても、多くの国民はしらけるだけです。この22年間のデフレで日本経済が疲弊している中、アベノミクスは明確に二極化を推し進めてきました。好景気を実感し、実際に果実を得た人は少数派だと思います。その証拠に平均賃金は平成九（１９９７）年のピーク（４６７万円）をいまだに超えられないのです。それなのに、「戦後最長景気」という見解を発表するのは、国民をバカにしているとしか思えません。

デフレなのに人手不足

本来は、モノの値段が上がらないデフレ経済下では多くの企業が倒産し、人手は余るはずです。それなのになぜ人手不足なのでしょう？　その理由は３つほど挙げられます。

まず、一つ目にはアベノミクスにより恩恵を受けた大手企業の採用が活発なことです。先ほども述べましたように業績の二極化が進み、デフレ下でも最高益を更新している企業はあります。今まで、平成十（１９９８）年の金融危機による貸し渋り、平成十三（２００１）年のＩＴバブル崩壊、平成二十（２００８）年のリーマンショック、平成二十三（２０１

1）年の東日本大震災と数々な危機がありました。その時は、良かれ悪しかれ、大手も中小も一緒に業績が悪くなりました。そして、大手が採用を絞るので、むしろ中小にとっては採用のチャンスになったのです。弊社でもその傾向はみられました。

しかし、現在は、相変わらず価格競争が続き、業績は厳しいにもかかわらず、採用も厳しいのです。ですから、中小企業にとって、アベノミクスは一つもいいことがありません。むしろ、大手と中小の格差が大きくなったというのが、アベノミクスの結果ではないでしょうか。しかし、忘れてほしくないのは、日本は従業者数の約7割が中小企業で働いているということです。

そして、増え続けている非正規社員によって、大手企業の業績が改善している側面もあります。今や、就業者に占める非正規社員の割合は4割近くになりました。企業が栄えて、国民が貧しくなる。日本は一周遅れのグローバル化により、外国人投資家・外国人経営者、そして、彼らに連なる一部の日本人だけが潤う経済システムになってきました。

生産年齢人口は減ってもいい

人手不足の理由で、多くの方がご指摘されているのが、生産年齢人口が減少している点です。15歳～64歳の人口は７５４５万人で、総人口の約６割です。この数字が、毎年減り続けているのです。これは、よく考えてみれば当たり前の話で、総人口が減っているのであれば、生産年齢人口も減るのです。問題は、総人口に対してその割合が小さくなることだと思います。

しかし、それは心配無用です。まず、現在の現実的な生産年齢人口は19歳～70歳くらいになっているのではないでしょうか。良かれ悪しかれ、年金とともに、企業の定年は60歳からどんどん引き上げられています。また、引退した後も、アルバイトやボランティア活動に従事している方は多いと思います。所得が発生しなければ、ＧＤＰには含まれませんし、納税もできませんが、立派な生産活動をされている人はたくさんいます。先にも述べましたが、私たちが目指すモデルは、スーパーボランティアの尾畠春夫さんのような生き方ではないでしょうか。

もちろん、若い時にたくさん働いたから余生はのんびりしたい、あるいは、身体がきついので働けないという方もいらっしゃるでしょう。しかし、人間は生きている限り、自分で動かなければいけません。上げ膳据え膳のホームにでも入居できればいいですが、そうでない限り、生活そのものに何かしらの労働は含まれています。

「少子高齢化＝介護が足りない」と短絡的に考えない方がいいと思います。自立した高齢者が増えれば、そこに、介護の需要は存在しません。私たちはＮＯ介護で、自分の寿命を受け入れる覚悟を持ちたいものです。もちろん言うは易し、行うは難しですが、まずそう意識しないことには、何も始まりません。

そして、そもそも全体の人口が減っているなら、全体の需要も減っていきます。ですから、それに合わせて、供給も減らさなければいけません。供給を維持しようとすれば、人手不足になるのは当たり前です。ここはＧＤＰが減ってでも、供給を減らし、人口減に合わせるべきです。そうすれば、ついでにデフレも脱却できます。

ＧＤＰの減少が国力低下につながるわけではありません。日本より小さくても、日本より豊かで強い国はたくさんあります。例えば、イスラエルは人口約８８０万人で、ＧＤＰも世界30位あたりですが、とても強い国です。日本も「量より質」といった方向性を打ち出して、もう量を追いかけることを止めにしませんか…。

人材のミスマッチ

そして、人手不足の最も重大な原因は人材の需要と供給がマッチしていないことだと思っています。要するに、量の問題ではなく、質の問題です。弊社でも、年がら年中、人を募集していますが、それは「こういう人が欲しい」という水準に達した人になかなか出会えないからです。

弊社は24時間操業している製造業ですから、現場のオペレーターには交代制をお願いしています。そうすると、17時で帰りたい人は、当社にマッチしません。製造業が「きつい・きたない・危険」な３Ｋ職場と言われて、ずいぶん経ちますが、若者がそれを嫌う傾向はますます強くなっています。

弊社は創業70年以上たちますので、自動化できるところは自動化しています。それでも、現場は暑い、寒い、そして重量物の取り扱いなどもありますので、やはり３Ｋ職場です。ですから、採用には苦労します。また、やっと入社しても「やっぱり、きつい」と言って、辞めてしまう人は少なくありません。最速記録はなんと半日です！

日本人は農業・林業・漁業の一次産業と、モノづくりの二次産業をもっと大事にしていかなければならないと思っています。しかし、そういう職場を日本人が嫌って、外国人に頼ろうとしているのです。ちなみに、令和元（２０１９）年度の大学・短大進学率は58％で過去最高です。彼らは身体を使う労働現場には来たがらないでしょう。しかし、いわゆるホワイトカラーの仕事こそ、ＡＩにとって代わられるスピードは速いのではないでしょうか。

採用面接の現場からみえる傾向

私は製造業を経営して24年になりますが、その間、多くの人と面接してきました。高校生・大学生の新卒採用や、20代～60代の中途採用まで、さまざまです。また、職種も現場オペレーターから役員候補者まであります。ここ数年の特徴を３つほど挙げたいと思います。

まず、高校生や大学生にいえることは、とても優しい子が増えたということです。裏を返せば、ヤンチャな子はいなく、波風を立てることを極端に嫌がる傾向があるように思います。弊社としては、素直で誠実な子を希望しています。しかし、最近はストレス耐性のない人が多く、そういう人は入社しても、すぐ辞めてしまいます。

かつては親御さんも「３年は辛抱しなさい」などと言ってくれましたが、今は「いやだったら、すぐ辞めなさい」と背中を押してしまいます（苦笑）。ですから、定着率はとても悪くなっています。

次に、中途採用での傾向ですが、自分の実力を正しく認識していない人が多いように思います。あれもできます、これもできますと面接中にアピールすることは必要でしょうが、多少突っ込んだ質問をすると答えられなくなります。面接のために、ちょっと大きく言っているというよりも、本当にご自分の実力を勘違いされている方が多いのです。

前職で、上司が是々非々で指導してこなかったのでしょうか？　最近は厳しく指導すると、すぐパワハラと言われてしまいますから、わからないでもありません。しかし、是々非々の指導というのは、本人の成長のため、会社の存続のために必要なことです。本当の自分と向き合わないまま社会人を何年もやっていると、勘違いは継続して、最後は残念な結果になってしまいます。

三つ目の特徴は、当事者意識の欠如です。これは採用面接の場だけではなく、日本社会にとっても由々しき問題だと思っています。つまり、転職の理由を聞くと、「上司が○○だった」「会社が○○で、ついていけない」と他責なのです。そういう人は、弊社に入ってきても、同じことを言うでしょう。ですから、そういう人はどんなに即戦力になりそうでも、お断りしています。

今は売り手市場ですから、当事者意識がない人でも、すぐに就職はできるでしょう。しかし、昨今の風潮に流されて、なにかトラブルがあるとすぐ他を指さし、自分のせいではないという意識では幸せになれません。「条件は、今よりいい会社、以上。」という転職サイトの広告を見て、安易に転職を考えない方が賢明です。

もちろん、本当に過酷で条件も悪い職場もありますから、そういう時は正々堂々と辞める権利を行使すればいいのです。また、単なる叱責や指導ではなく、犯罪行為を受けたなら、速やかに警察に届けるべきでしょう。しかし、そういうことでないなら、自分を指さし、誰のせいにもしないで、自分の仕事を全うしていきましょう。

もし、転職を考えている人へアドバイスするとしたら、「今の仕事を100％やりきって、満足したら、卒業の時です」と言うでしょう。今の仕事に不満のまま転職しても、同じことを繰り返すかもしれないからです。いうまでもありませんが、育児や介護や病気などで転職せざるを得ない時は、この限りでありません。

たくましい職業人を育成するために

日本人が当事者意識を持って、仕事に臨むということは、そのまま強い日本を創ることに直結します。つまり、日本が悪い、政治家が悪い、マスコミが悪いと他責にするのではなく、「私が日本」という意識で、生きていけばいいのです。

具体的には中学生や高校生の時から、得意分野の教育に特化して、職業を見据えた指導をしていくことが望ましいと思います。勉強が苦手な人が、借金を背負ってまで、大学に行く必要はありません。また、ＡＩに奪われない職業は、人間が手足を動かし、感性を使う仕事のように思います。そして、志の高い人材が地方の休耕田などを復活させようとしているのは、日本にとって幸いです。

例えば、元陸上自衛隊特殊作戦群の初代群長で武道家の荒谷卓（あらやたかし）さんは、熊野市飛鳥町に移住し、武道を教えるかたわら、農業を始めました。地元の人たちの多大な協力の元、休耕田を復活させることに取り組んでいます。荒谷さんいわく「お米を作るということに日本の文化的な重要な意味がある」そうです。まさに、ニニギノミコトが稲穂を持って、地上に降り立った神話と通じるお話です。

人間は、家庭→学校→職場とシーンを変えながら、一生成長し続けます。どのシーンでも大切なのは、誰のせいにも、何のせいにもしない当事者意識です。これを基礎にすれば、何をやっても自分の人生に責任を持って、幸せに生きることができます。私たち大人がまずは範を示す。そして、若い人たちに影響を与えられたらステキです。

第３章

働き方改革は余計なお世話

働き方改革の弊害

安倍首相肝いりの「働き方改革」

平成二十八（２０１６）年9月から安倍首相は自らを議長として「働き方改革実現会議」を開催しました。首相官邸のホームページを見ると、「働き方改革の実現」というコーナーがあり、全10回の会議の議事録や資料が閲覧できます。

冒頭には「多様な働き方を可能とするとともに、中間層の厚みを増しつつ、格差の固定化を回避し、成長と分配の好循環を実現するため、働く人の立場・視点で取り組んでいきます」と働き方改革の意気込みが示されています。キレイごとが並んだ文章ですが、問題点は大変よく把握されていると思います。つまり、この二十数年のデフレ経済で「中間層は没落し、格差は固定化し、成長しないから分配もできない」状態が続いているということを暗に認めているからです。しかし、解決方法はとても楽観的ですね。安倍首相は「働き方改革」

を働く人の立場・視点で取り組めば、これらの問題点はきれいさっぱり解決するとお考えのようです。

結論から申し上げると、まずデフレを解決して、中小企業も含めた日本企業が競争力を復活させないと、「働き方改革」はできないように思います。なぜなら、企業が苦しいからこそ働くヒトにしわ寄せがいくからです。デフレが続いて、売上も利益も減っていく中で、どうやって社員の待遇を改善させればいいのでしょう？　もちろん「働き方改革」を進めながら、業績改善の結果が出せればいいのですが、今は大手でさえ破綻して外資に身売りをする時代です。大手も中小も企業にとって大変厳しい時代が続いている中で、また政府が足を引っ張るのか…、と私はため息交じりに政府の実行計画を眺めました。

非正規社員が増えたのは誰のせい？

平成二十九（２０１７）年3月に決定された実行計画に示された課題は3点です。

一つ目は「正規、非正規の不合理な処遇の差」とあります。そして、「格差を埋めていけば、非正規社員の納得感が醸成され、モチベーションが上がり、労働生産性が向上する」と強引な結論を導いています。

ここでの突っ込みどころはたくさんあります。まず、「世の中から非正規という言葉を一掃していく」と威勢の良いことが書いてありますが、そもそも、派遣法を改正して、非正規社員を大量生産したのは誰ですか？　安倍さんが内閣官房長官としてお仕えした小泉さんではないですか！　非正規社員は自然と増えたのではありません。小泉政権が「聖域なき構造改革」と声高に叫んで、せっせと規制緩和したから増えたのです。それなのに、非正規社員を使っている企業がさも悪いかのように言うのはどうなのでしょう。

さらに苦言を呈すれば、その時の特命担当大臣だった竹中平蔵さんはご自身で規制緩和の旗振りをして派遣法を改正し、その後、ちゃっかりパソナの役員になっています。こんなに堂々とした手弁当はそうありませんね。それなのに、まだ安倍内閣の様々な会議に出ているのはどういうことでしょう。どこかからのご指示ですか？

同一労働・同一賃金は共産主義国家のよう

また、正規、非正規の不合理な処遇の差を改善せよということは「同一労働・同一賃金」の実現を指し示していると思います。この「同一労働・同一賃金」という言葉がとても恐ろしく聞こえるのは私だけでしょうか？　なぜなら、低い方に統一されると直感的に思うからです。

今は人手不足で首都圏を中心に賃金はやや上昇傾向にあるかもしれませんが、日本は22年間デフレでしたので、基本的には働く人の平均賃金は下がり続けました。前述のように、ヒト・モノ・カネが国境を越えて自由に移動するグローバル化がデフレの原因です。今後ますますヒトの移動が進めば、外国人の賃金に合わせて、日本人の賃金が下がっていくのではないでしょうか。賃金が下がるだけならまだしも、仕事自体を外国人に取られる時代が来るかもしれません。それはEUを見れば容易に想像がつくことです。

さらに、弊社でもそうでしたが、このデフレ経済の中では潰れないように凌いでいくのがやっとですので、同じ仕事をしている社員の給料を満足に上げることはできませんでした。もちろん、昇進するなどして役割が変わればそれに見合った賃金になるのですが、基本的には年功序列という美しい制度はとうの昔に無くなってしまいました。つまり、昔でしたら、同じ仕事をしていても年を取った分だけ給料が上げられたのに、今はそれが難しいということです。

ですから、「同一労働・同一賃金」ということを厳密に追求すると、18歳の派遣社員でも60歳のベテラン正社員でも、同じ仕事をしていたら、同じ賃金を支払えということになります。とても画一的な制度で、まるで共産主義の国のようですね。世知辛い世の中です…。「同一労働・同一賃金」という掛け声は非正規社員の処遇改善と見せかけて、年功序列の明確な否定、厳格な職務給、正社員の処遇改悪が目的なのだろうか、と疑い深く考えてしまいます。

さらに、「非正規社員の納得感が醸成されれば、モチベーションは上がり、労働生産性が向上する」とありますが、そうなったら、現実的にはどうなるでしょうか？　モチベーションも能力も高く、会社と相思相愛になった場合には正社員になると思います。あるいは、モチベーションが上がり、生産性が向上した場合、3人でしていた仕事が2人でできるようになったら、1人は雇い止めになってしまいます。「非正規社員という言葉を一掃していく」と言っている一方で、非正規社員の労働生産性の向上を求めつつ、身分の固定化を推進しているように感じてしまいます。本当に非正規社員を無くしたいのか、それとも能力の高い非正規社員を増やしたいのか、政府が何をしたいのか私にはわかりません。これらの計画は今後、グローバル企業が日本の非正規社員を使いやすいようにするお膳立てなのでしょうか……。

時間外労働の微妙な問題

実行計画に示された二つ目の課題は「長い労働時間」です。新聞やＴＶで時間外労働の上限規制のガイドラインが話題になっていました。基本的には月45時間、年３６０時間ですが、特別条項を付けた場合は様々な条件が提示されました。暗記が苦手な私は何回読んでも、なかなか覚えられませんが…。

弊社においても時間外労働の問題は頭が痛いところです。なぜなら、残業というのはゼロでも、多くても、不平不満が出るからです。社員が望むような程よい残業をどんな環境下でも用意することなど現実的には不可能です。リーマンショック後は残業ゼロを厳命しました。さらには調整休をとらせて、助成金をいただいた時期もありました。ですから、残業代も含めて生活設計をしていた社員は「これでは生活ができない」と言って、残念ながら退職してしまいました。

そして、逆にこの数年間は、人手不足と納期対応で、製造現場の残業時間は猛烈に膨れ上がりました。今度は「身体が持たない」という理由で退職者が出てしまいました。もちろん、中途採用で人員の補充をするのですが、すぐには戦力になりません。営業はお客様に納期遅れについてひたすら謝罪しました。一方で、納期の正常化を目指し、ブラック企業並みの残業に応えてくれた現場の人は管理職より手取りが増えたこともありました。

そこへきてこの残業の上限規制…。お客様と約束した納期はどうしたらいいのでしょう。また、弊社のように基本給が低い中小企業にとって、労働時間の削減は手取りの減少に直結します。実行計画ではとにかく、残業は悪で、「ワークライフバランスの改善」が正義のようですが、納期や手取りの減少という問題には触れていません。挙句の果て、月末の金曜日は早く帰れという「プレミアムフライデー」まで平成二十九（２０１７）年2月から登場しました。一体全体、どこの企業が月末の金曜日、15時に帰れるのでしょう？　弊社は24時間工場が稼働していますので、営業や管理部門だけが15時に帰れるわけがありません。そのキャンペーンが始まった時、弊社社員は「当然ウチは関係ない」と思ったようですが、念のため、「生産現場を抱えている当社では実施しません」と宣言しました。あれから、3年経ちましたが、そんなことをやっている企業は余裕のある大手と、言い出しっぺの経産省だけではないでしょうか。何度も言いますが、肝心要のデフレ経済を放置して、何をふざけたことをやっているのでしょう！

女も老人も働け？

また、「長時間労働を是正すれば、女性や高齢者も仕事に就きやすくなり、労働参加率の向上に結びつく」という言葉も気になりました。これは、現状の人手不足を解消する良い解決方法のようにも聞こえます。しかし、単純に考えれば「女も老人も働け」ということです。これには、古き良き昭和のように、お父さん一人の稼ぎでは家族が養えない時代になったという背景があります。いまや、専業主婦は高額所得の配偶者を見つけなければ、なれない立ち位置なのです。また、年金も十分ではなく、中小企業では退職金も雀の涙程度しか出せません。ですから、多くの人は60歳を過ぎても身体が動く限りは働かざるを得ないのが現状です。もちろん高齢者が働いて、社会貢献することは素晴らしいですが、現役世代の残業規制の代わりに持ち出すことに違和感を覚えます。

しつこいですが、デフレ経済を放置して、平均所得が下がったのです。根本を解決しないで、「とりあえず、皆さん働いて下さい」と対症療法でごまかすのは卑怯です。また、裏読みすると「所得税納めてください」「働いた分消費も増やして、消費税も払ってください」という老若男女労働者計画でしょうか？

単線型のキャリアパスって？

実行計画に示されている最後の課題は「単線型の日本のキャリアパス」についてです。これについてはもはや何を言いたいのか私にはわかりません。中小企業は新卒も採用しますが、多くの場合、中途採用の人を戦力にしています。弊社も10年で4分の1ほどは入れ替わります。中小企業はとうの昔に複線型です。年次に関係なく、適材適所で人材を活用していかなければ、あっという間に潰れてしまいます。弊社では中途採用の女性でも実力があれば役員になっています。

そもそも労働は悪か？

さて、私はここまで「働き方改革実現会議」の実行計画に文句ばかり言ってきました。昨今の「働き方改革」と言われるものに違和感があるからです。まず、「労働は悪か？」という本質的な問題を考えざるを得ません。西洋では果実を食べた罪として、労働が与えられているようですが、日本では違います。

日本神話の神様はそれぞれお仕事をされています。そして、天照大御神（あまてらすおおみかみ）は孫の邇邇芸命（ににぎのみこと）に稲穂を持たせて、天孫降臨をさせました。その子孫である天皇陛下は126代に亘って、稲作を大切なお仕事と位置付けていらっしゃいます。今年も、天皇陛下は5月25日に皇居内の水田で田植えをされました。もちろん、陛下のお仕事はそれだけではありません。恐らく日本で一番お忙しい方だと推察いたします。

様々な国事行為の他、何よりも大切な宮中祭祀、国内のお出まし、国際親善、伝統文化の継承、さらには水に関するお取り組みもされています。天皇陛下のお仕事はまさに国家と国民の安寧を全身全霊で祈ること。そのお姿を拝見すれば、「働く」はまさに「傍をラクにする」ことだと思い知らされます。天皇陛下という日本のお父様は一つ一つのことに心を込めて向き合っていらっしゃいます。天皇陛下の子供である私たち臣民は、お父様を少しでも見習って生きていけたら幸せです。

会社経営もシラス国のスタイルで

また、企業においても、経営者と労働者という二項対立で考えるのは日本らしくありません。それは搾取するものと搾取されるもののウシハク世界観だからです。日本はまさに天皇陛下のシラス国。経営者とその社員は家族のように共に心を通わせ、お互いの苦労を知り、お互いの役割を果たしていくのが理想の姿だと思います。私も自分の会社をそのようにしたいと、社員にはうっとうしいほどの愛情を注いでいるつもりです。しかし、シラス国のスタイルにはまだまだほど遠いのが現状ですが…。

そして、ウシハク国のブラック企業に勤めている場合はどうしたらよいでしょう？　それには次項で言及したいと思います。

ブラック企業なんてない！

「勤勉と調和」の反対は「怠慢と対立」

前項では「働き方改革の弊害」という問題提起をさせていただきました。「企業は生産性を上げて、残業時間を減らしなさい」「賃金は３％以上あげなさい」と政府に言われたからといって、「はい、わかりました」と単純に実行できるわけがありません。なぜなら、政治家や官僚の皆さんと違って、自分たちが成り立つためには、自分たちで稼がなければいけないからです。この極めて単純なロジックが、「働き方改革」ではゴソッと抜けているような気がしてなりません。

そして、政府もマスコミも「働き方改革」の大合唱ですが、私はこの言葉の裏に見えない二つの毒を感じます。一つは、「働くことは悪いこと」が前提になっている毒です。もちろん、病気になってまで働くことは本末転倒ですが、働くことはそもそも悪いことではありません。むしろ、世の中に貢献する、自分の志を達成する、自分の成長につながると思えば、働くことは良いことです。家事、育児、介護やボランティアも含め、広い意味で働くことは良いことだと思います。

二つ目の毒は「企業を経営者と労働者の二項対立でとらえること」です。前項で既に述べましたが、日本は支配者が被支配者から搾取する国ではなく、天皇陛下のシラス国です。企業経営もその延長線上にあると思います。しかし、それを対立させて、壊そうとしているのです。

この二つの毒矢は誰が何のために放っているのでしょう？ うがった見方をすれば、戦勝国の方々が日本と日本人をもっと弱体化させたいがために放った毒矢ではないでしょうか。日本人の強みは「勤勉」と「調和」です。逆にいえば、日本人から「勤勉」と「調和」を取ったら何が残るのですか？ これらの日本人の強みを壊すためこそ、「働き方改革」というのは「怠慢」と「対立」が裏テーマになっているのではないでしょうか。

尊敬するある先輩社長が安倍首相の「働き方改革」を憂いていました。「安倍さんの外交はいいけど、内政はダメだね……。このままでは日本は古代のローマのようになるよ」。上手い例えだと思いました。国民が労働を嫌って、「パンとサーカス」を為政者に求めたら、日本はローマのように滅んでしまいます……。

働く人には「辞める権利」がある

今回のテーマは「いわゆるブラック企業」についてです。「いわゆる」と前置きしたのは「いわゆる従軍慰安婦」と同じ理由で、私はこの世に「ブラック企業」はないと思っているからです。本来だったら存在しえない「ブラック企業」を、さもたくさんあるかのように喧伝して、日本社会全体を貶めている言葉だと思っています。まさに、働き方改革の裏テーマである「怠慢」と「対立」を助長する言葉の代表です。

私の二人の子供たちも、ニュースなどで厳しい職場環境を見聞きすると、すぐ「ブラックだ～」などとふざけて言いますが、私はその時に次のように注意します。「仕事っていうのは厳しいものだ。でも、どうしてもイヤなら自分の意思で辞めればいい。だから、自分がいる場所を簡単にブラックと言うもんじゃない！」

私が「ブラック企業なんてない」というのはこの言に尽きます。イヤだったら辞めればいいのです。つまり、働く人には「辞める権利」があるのです。最強の権利です！　雇われたといっても奴隷ではないので、いつでも電話一本で辞められます。これが今回のテーマの結論です。

実際に会社を辞める時は、「上司に申し出る↓会社は引き継ぎのための人材を用意する↓引き継ぎ業務をする↓退職」というような流れが基本ですが、弊社でもある日突然来なくなる人は枚挙にいとまがありません。そういう時は、引き継ぎの「ひ」の字もできません。

また、ある30代の男性社員が退職する時に、「うちの息子が会社を辞めたいと言っているのですが……」と母親が電話をかけてきた事例もあります（汗）。弊社ではまだありませんが、最近は「代行業者」を使う強者もいるそうです。料金は3万～5万ほどだとか……。

さらに、弊社がブラックと思われたのかもしれませんが、2時間働いて退職という事例もありました。もちろん栄えある最速記録です。朝、9時に初出勤し、総務の説明を1時間受けて、10時から12時まで現場で働き、「仕事が合わないので、辞めます」と言って、ランチタイムには退職したのです……。「成田離婚」という言葉を思い出しましたが、このケースは「ランチタイム退職」です。いやはや、働く人の権利は自由奔放に行使され、本当に強いものだと実感します。会社が「それでは困ります！」と言ったところで、クビに縄をつけて引き戻すことはできません。つまり、家から拉致して、会社に連れてくることはできないのです。

私が「ブラック企業はない」と極論を申し上げるのは、この理屈の延長です。働く人が皆その職場をイヤだと思って辞めてしまえば、企業は存続できないのです。人手が集まらなければ条件や環境を変えるしかありません。もし、それができないのであれば倒産か廃業です。

会社には「辞めさせる権利」がない

一方、会社側は「働かせる権利」はもちろんのこと、怠けている社員を「辞めさせる権利」さえありません。会社には何も強制力がないのです。一応、労働基準法二〇条には次のように書いてあります。

「使用者は、労働者を解雇しようとする場合においては、少くとも三十日前にその予告をしなければならない。三十日前に予告をしない使用者は、三十日分以上の平均賃金を支払わなければならない。但し、天災事変その他やむを得ない事由のために事業の継続が不可能となつた場合又は労働者の責に帰すべき事由に基いて解雇する場合においては、この限りでない。」

三十日前までに予告をしたら、さも解雇ができるように書いてありますが、実務上これはほとんど不可能です。労働者に「納得いかない。辞めたくない」と言われれば、訴訟または労働審判に持ち込まれます。そうなれば、ほとんどのケースで会社側の敗北です。また、但し書きに「労働者の責に帰すべき事由に基いて解雇する場合においては、この限りでない」とありますが、これも要件が非常に厳しく、よほどでない限り適用できません。

例えば、恥ずかしながら、弊社でも刑事事件を起こした社員をクビにしようとしたことがありましたが、すぐに解雇することはできませんでした。裁判中はもちろんのこと、一審で有罪になったとしても、控訴すれば「推定無罪」ですから、クビにするのは難しいのです。そうなった場合、刑が確定するまでいつまでも待ってなければいけません。それほど、労働者は守られているのです。ちなみに、弊社の事例は、本人との話し合いの末、控訴中にお引き取り頂きました。

このような事例をお話しすると、「アカオアルミは大丈夫か?」とご心配頂きそうです(汗)。24年間、数百人の社員を抱えて経営をしていると、色々あります。しかし、今残っている社員始め、多くの日本人は真面目に働いていると思っています!

電通社員の自殺

今回のテーマを書くにあたって、平成二十七（2015）年12月に自殺した電通社員の話は避けて通れません。自殺したTさんは東大を卒業して、4月に電通に入った新入社員でした。長時間の過重労働が原因だったとして、翌年の9月に労災が認められた事件です。また、お母様も「命より大切な仕事はありません」と悲痛な訴えをされています。24歳の若さで命を絶ったTさんは大変お気の毒でした。しかし、この事件を「Tさんはかわいそう」「電通はブラック」と単純化していいのでしょうか？

中小企業の経営者が集まると、時々この話になります。その時、皆が口を揃えて言うの「なんで辞めなかったのだろう？」ということです。私もそう思います。

しかし、世間はこう反論するでしょう。「うつ病になったから、正常な判断ができなかったのだ。うつ病にさせること自体がブラックだ」その理屈もわかります。でも、実際に私自身が長い間、うつ的状況にあったのでいえることですが、うつ病というのはある日突然なるわけではありません。激しい自己嫌悪を感じるときと、普通のときが行ったり来たりするのです。休む判断、辞める判断をするチャンスはあったと思います。

どこが限界なのかは一人一人の体力・胆力・経験によるでしょう。ですから、一律に何時間働いたからうつ病になると数字で表すことはできません。ですから、酷な話ですが、そこは自分が判断するしかありません。家族や友人が近くにいる場合は、その人たちの判断も助けになると思います。

しかし、よく聞く話ですが、好きな仕事や、気の合う仲間とする仕事は徹夜作業も苦にならないと言います。電通の件も、労働時間よりもパワハラの方が原因ではないかとも言われています。いずれにしても、正常な判断ができるうちに、休職か退職を決めたほうがいいでしょう。難しくありません。権利を行使してください。

「やる」か「やめる」かの二択

結局、労働時間の長短ではなく、どういう気持ちで働くかが一番大切だと思います。私は31歳のときに父が突然亡くなり、アルミの会社を継ぎました。当時借入は100億円ほどあり、その責任の重さに15年ほど苦しい状態のまま働きました。あちらこちらの心療内科に通っては、薬を飲んだり、やめてみたり……。

15年たったある時、友人の経営コンサルタントの方から「赤尾さんが社長業をやりたいとか、やりたくないとか聞いてないよ。やるか、やめるかでしょ」と言われました。そのとき私は頭を殴られたような衝撃を受けて、ようやく目が覚めました。「やりたくないけど、仕方がないからやってる」という選択肢はないということに気づいたのです。私の目の前には

「やる」か「やめる」の2枚のカードがあるだけです。そして、その時、私は自分の意思で「やる」というカードを引こうと思ったのです。

以来、会社の業績が良かろうが悪かろうが、私は目の前の仕事に集中して、腹を据えて社長業に取り組むことができるようになりました。この心持ちは全ての仕事に共通していると思います。もちろん、自分の意思で「やめる」というカードを引いてもいいのです。それは逃げでも負けでもなく、一つの選択だと思います。

ですから、皆さん、自分の職場がどうしてもイヤなら、「辞める」という選択をすればいいのです。そして、自分の理想とする会社へ就職すればいいのです。もし、それがどうしても見つからないのならば、覚悟を決めて自営業です。自分の思い通りの職場を自分で作るしかありません。

忘れ去られた個人事業主

日本は99・7％が中小企業で、そのうち、個人事業主は52％（平成二十八（2016）年、中小企業庁）です。私の友人知人にもフリーランスで活動している人はたくさんいます。そういう人たちは自分たちのペースで仕事ができるといえば聞こえはいいですが、精神的には

24時間営業だと思います。また、私を含め、企業の経営者も同じです。気の休まる時はありません。

しかし、今回の「働き方改革」ではそういう人たちは蚊帳の外です。該当するのは人手のサラリーマンだけではないでしょうか？　人数にすれば約3割になります。

平成二十九（2017）年7月に「大企業社員の劣化が止まらない」という記事を読みました。「大企業が時短した分の仕事が下請け企業に移転されるだけ」という指摘です。そして、実務を下請けに丸投げするのでスキルが身につかず、優秀だった大企業社員が劣化するという話でした。ですから、「働き方改革」で労働時間が減るかもしれない大手社員も、ぬか喜びはできません。効率化と単なる時短をはき違えると、上記のようなことが起こるのです。

最近は、病院の医師まで「働き方改革」を要請されているようです。患者が死にそうになって、担ぎ込まれても、「今日は残業できません」と言って、医師が帰ってしまう時代が来るのでしょうか……。

セクハラ・パワハラで委縮する社会

セクハラ・パワハラのニュースにうんざり

昨今、ニュースをにぎわせているのはセクハラ・パワハラ問題です。政官財のみならず、スポーツ界、芸能界にまで飛び火して、連日大騒ぎをしています。私はそれらのニュースを耳にするたびに、世界はもっと大きな問題を抱えているのに、日本は相変わらず些末なことに右往左往していると思い、うんざりしています。

もちろんレイプや脅迫は犯罪ですから、問答無用に悪いことです。犯人には牢屋に入ってもらう以外ありません。しかし、一般的に言われているセクハラ・パワハラについての判断は、受け手の主観ですから、グレーゾーンが大きいと言わざるを得ません。それにもかかわらず、マスコミが加害者を凶悪犯扱いすることに違和感を覚えます。

そもそも、「セクシャルハラスメント（セクハラ）」という言葉はいつ頃、登場したのでしょう？　米国では1970年代にフェミニストのなかで使われ始めた言葉だそうですが、日本では平成元（1989）年に新語・流行語賞を受賞して以来、多くの人が知ることになりました。一方、パワハラという言葉は平成十三（2001）年に日本のコンサルタント会社が作った和製英語だそうです。いずれにしても、これらはこの20年～30年で日本に定着した概念といえるでしょう。

もちろん、言葉が生まれる以前にも、そのような嫌がらせや脅迫まがいの事件もあったと思いますが、その言葉が一般化すればするほど、その適用範囲はどんどん広がったように感じます。例えば、自分の嫌いな上司が自分を見ただけで、「いやらしい目で見たので、セクハラです」となりかねません。また、上司が強く叱責すれば、「人前で怒鳴られたので、パワハラです」と訴えられるかもしれないのです。

弊社で起きたパワハラ騒動

実際に、弊社も上司が叱責しているとき、部下がボイスレコーダーでその音声を録っていて、労働審判を起こされたことがありました。そのときは、能力の問題から減給していたため、話がこじれにこじれたのです。私たちは顧問弁護士と十分に打ち合わせをして、労働審判委員会なるものに出席しました。

するとと、相手方の弁護士は信じられないほど当社側の言葉をつぎはぎにして、事実をゆがめてきたのです。ある程度想定していたとはいえ、あまりにひどいやり方に、私は誰よりも早くキレて「反日のマスコミみたいなことをするな！」と怒鳴ってしまいました。そのときは、弊社の顧問弁護士から「ここはそういうことを言う場ではありません」と叱られました（苦笑）。

とにかく、経営者は悪と決めつけている左翼弁護士が社員側につくと、一種の被害者ビジネスのようなことが成り立ってしまうのです。とはいえ、こちらも言い分はしっかり伝えて、相手方の請求額よりかなり低い退職金で、お引き取りいただくことになりました。正義を通そうと、裁判までしたところで、企業側が勝てる見込みはありません。悔しいですが、おカネを払って、縁を切るのが現実的な対応なのです。「どちらが被害者で、どちらが加害者か見ればわかるでしょう？」と私は審判官に捨て台詞を言うだけしかできませんでした。

その人は中途入社の50代の営業マンで、1年も働いていなかったのです。当時、中途採用は部門長の面接で済ませていましたが、それ以来、たとえ現場のオペレーターでも4人の役員の8個の目で、しっかり面接させていただいています。

セクハラ騒動、娘のコメント

平成三十（2018）年春、元財務事務次官の福田淳一さんのセクハラ問題は世間をにぎわせました。テレビ朝日の女性社員がボイスレコーダーを週刊新潮に持ち込んで、明るみになったのです。福田さんは事務次官を辞任しましたが、セクハラは認めていません。

この件に関しては「エリートは脇が甘いな」と私も呆れていました。そのことを私と同世代の男性社長に言ったところ、「二人で何回も飲みに行ったら、すべての男は勘違いしますよ〜」と大爆笑していました。それが殿方の本音ですね（笑）。

ちなみに、当時18歳の娘にどう思うかと聞いたところ「中小企業の社長や芸能界のプロデューサーが言うならまだしも、国の偉い人がこういうことを言うのは引くわ〜」と言っていました。なるほど、この件に関してほとんどの女性が敵に回ったのは「誰が言ったか」という点が大きいのでしょう。いずれにしても「サシ飲み」の取材を何回もするというのは女性側にも何らかの思惑があったと言わざるをえません。会社の指示なのか、本人の判断なのか知りませんが…。

いずれにしても、これらの事件についてのマスコミの対応は、相変わらず幼稚な正義感を振りかざした子供じみたものでした。私がそのような人たちに言いたいのはキリストの言葉です。「罪を犯したことがない者だけが彼に石を投げろ」です。マスコミは事実を報道すればいいのであって、当事者に制裁を加える権利はないはずです。

密告に怯えて、萎縮する社会

このようなニュースばかり流されては、世の男性陣も防衛策を考えざるを得ません。テレビの街頭インタビューを聞くと「ルールを作ってほしい」という声がありました。前述したようにセクハラ・パワハラは受け手の主観で判断されますから、サラリーマンでしたら会社でルールを作って「セーフとアウトの線引きを明確にして欲しい」ということになると思います。お気持ちはわかりますが、何とも情けない話です…。

しかし、過剰反応して防衛せざるを得ないほど私たちが追い込まれていることも事実です。例えば、某銀行の支店長さんからお聞きした話はこうです。「AさんがBさんにふざけて軽口をたたいて、Bさんが不快に思わなくても、それをそばで聞いていたCさんが不快に思えばセクハラ・パワハラです。そして、通報する窓口は外部機関も含め３か所あります」私は「それは大変ですね…」と同情の言葉しか出ませんでした。これではいつ密告されるかわからないため、最低限の業務連絡しかできないのではないでしょうか。

そして、「それでは、もう社内結婚はなくなりますね」とお聞きすると「あ〜、それは難しいでしょうね…」と言われました。ただでさえ、晩婚化、少子化が問題とされているのに、職場でも結婚相手を見つけられないと、ますます結婚しない若者が増えそうです。

ちなみに弊社では職場結婚したカップルは何組かあります。私は社内の噂話にうといので、いつも報告を聞いてびっくりしますが、喜ばしいことです。また、私が知っている会社で、女性役員が年下の一般社員と結婚したケースもあります。男女のことは他人がとやかく言うものではなく、まさに自己責任ですね。

一方、お互いがお互いを監視し合う密告社会は組織を萎縮させます。それは、中国共産党政府や北朝鮮を見ればわかります。企業でこれをすれば、社員は皆見かけ上、良い子になり会社の方針に従うかもしれませんが、活力がなくなるのではないでしょうか。

また、セクハラ防止の対策として、女性を一人では外回りの営業に出さないという極論まで出てきているそうです。お客様が「女性が担当だと面倒なので、ウチの担当は男性にして」と依頼をするケースもあると思います。また、女性ジャーナリストなどは一対一の取材がやりにくくなるのではないでしょうか。

その一方で、「女性の活躍」という看板を掲げ、「男性と同等に扱え」と権利を主張する女性もいます。しかし、「Me Too」とプラカードを掲げて抗議しても、世の中は良くなりません。そのような「許さない社会」で他人に石を投げると、その石は回りめぐって、自分に返ってくるのです。

権限を持つ人の心構え

人間は法の下に平等ですが、世の中で果たす役割は人それぞれです。それこそ、総理大臣という役割の人もいれば、会社の新入社員という役割の人もいます。そして、その役割によって行使できる権限の範囲は違います。権限を行使するとは組織のために私心を無くして最適な判断をするということです。あるいは、政治家や公務員でしたら、あらかじめ法令で権限の範囲が決まっていることもあるでしょう。この極めてシンプルなことができない大人が多いことが、本質的な問題だと思います。

人は役割を預かっているからその権限を使えるのであって、自分が偉くなったわけではありません。天皇陛下の振る舞いを拝見すれば、日本人として目指す方向性は明らかなはずです。私たちは何か役割を預かったときは私心を無くし、より良い判断と行動をしていくだけです。

セクハラ・パワハラ問題は権限を持つ人が私的にその権限を使わないという心掛け一つで、無くなるはずなのです。その当たり前のことができない人は、因果応報という人生の法則をご存じないのですね。

セクハラ・パワハラの被害者にならないために

しかし、古今東西、不心得者はいるでしょうし、そういう人からセクハラ・パワハラの被害を受けた場合、どうすればいいのでしょうか？　そして、そもそものような被害を受けないためにどうすればいいのでしょうか？　これには現実的な方法と、心理学的方法の二つがあります。

まず、現実的な解決方法としては被害を受けたと思ったら、組織のしかるべき人や部門に相談するしかありません。事実をキチンと伝えて、毅然とした対応をした方が良いでしょう。それなのに組織が対応してくれず、そのような被害が続くならば、その組織から離れるしかありません。また、もしそれが脅迫や暴行など刑事事件になる場合は会社ではなく警察へ行った方が良いでしょう。

そのような被害を未然に防止することは難しいかもしれませんが、いくつかの方法があります。セクハラ防止については、テレビ朝日の記者のように二人きりで飲みにいかないとか、自分自身が女であることを売りにしないとか…。また、パワハラ防止については、自分の仕事をきっちりして、上司に文句を言われるスキをなるべく作らないとか…。しかし、以上のような対応をしても、理不尽なことが起きたら？

そのような時は心理学的な解決方法があります。「自分の目の前で起きている現実は、全て自分の心が映し出している」ということを知ることです。そんな、バカな！　と思うかもしれませんが、心理学でいう「投影」です。自分が体験する現実は自分の心の中に入っているフィルムで映している映画みたいなもの。映画を変えたいと思ったら、フィルムを変えるしかありません。

自分は1ミリも悪くないのに、いつも人間関係で苦労している人は「人間関係で苦労する」というフィルムを自分に入れているそうです。ちなみに、私もこの「苦労」というフィルムはお気に入りでした。そうすると、場所を変えても、人を変えても同じような苦労を繰り返します。ですから、ハラスメント被害を受けている人は、自分の心のフィルムを変えることが解決への道かもしれません。

ちなみに私は「苦労」というフィルムは常に心に入れていましたが、「セクハラ」というフィルムは入れていなかったので、これまでセクハラにあったことはありません。男性社会の製造業なので、業界の会合にほとんど女性はいませんでした。一番の武勇伝は、150社200人が集まる温泉旅館での懇親会で女性が私だけというときです。もちろん、全員浴衣姿での出席です。私はカラオケを歌わされたり、二次会では主催者の会長の隣に座らされたりしましたが、「大事にされてありがたい」と思うだけでした。人によっては「セクハラ」と思うかもしれませんが……。

また、女性社長はお客様に口説かれたり、同業者にバカにされたりすることもあるそうですが、私はありませんでした。もしかしたら、そういうフィルムが入っていなかったので、気づかなかっただけかもしれませんが…。

自分の人生は誰からもコントロールされたくないと思ったら、自分でコントロールするしかありません。セクハラ・パワハラの被害を受けたくない、セクハラ・パワハラで萎縮する社会を作りたくないと思ったら、自分の心に「調和」や「感謝」のフィルムを入れてみたらいかがでしょうか。この世は自分の心の投影だそうです。

楽しく働きましょう！

かつて日本人は働き者だった

「24時間戦えますか♪」というドリンク剤のＣＭが流行ったのは、30年ほど前のバブル期だったと思います。時任三郎が世界を股にかけて、ガンガン働く「ジャパニーズ・ビジネスマン」を演じました。今、そのようなＣＭを流したら「ブラックな働き方を助長する」と各方面からクレームが来て、ＣＭは即刻中止となるでしょう。

私の世代はバブルのピーク、最後の昭和入社といわれています。社会人になったのは、32年前の昭和六十三（１９８８）年です。ですから、私はバブル時代の日本人の働き方をほとんど体験していませんが、学生としてバブル時代を謳歌しました。振り返って思うことは、皆、個別に悩みは抱えていたでしょうが、未来に希望を持てて楽しそうだったということです。

弊社でも、引退した古参の役員から次のような話を聞きました。「昔は集金が営業の大事な仕事だった。だから、12月31日まで集金して、翌年1月4日からまた働いたんですよ」と。もちろん、週休二日の制度はなく、休みは日曜祝日だけでした。そういえば、祝日もここ数年で増えました。私の世代でさえ、土曜日は毎週学校がありました。小学校から高校までそういう習慣でしたので、土曜日に働くことに抵抗はなかったのです。

「昔はこうだった」という話を持ち出して、今を否定するつもりはないのですが、二つのデータをお示しして皆さんと、日本人の働き方、ひいては生き方について考えてみたいと思います。

まずは昨年更新された労働時間の世界ランキングです。日本はOECD加盟国38か国中、22位で1680時間となっています。1位はメキシコで2148時間、米国は11位で1786時間です。私が意外に思ったのはイタリアで、16位、1723時間と日本より多いのです。もちろん、日本の数字はデータに表れていない労働時間もあるでしょうし、パートタイムが増えた影響もあるでしょう。ただ、データからいえることは、日本人は決して働き過ぎではないということです。

また、過去と比較してもそれは明らかです。32年前の昭和六十三（1988）年の総労働時間は２１００時間でした。まさに、バブル時代はよく働いていました。今はその時代より、2割減っています。さらに、１９６０年から比べると、約3割減っているのです。ですから、日本人は働き過ぎだというのは過去の幻想にすぎず、世界と比べても、良かれ悪しかれ普通の国です。

働き方改革は余計なお世話

しかし、昨今よく耳にするのは「日本人は働きすぎだ。働き方改革をして、早く帰ろう」です。もう十分総労働時間は短いのに、ただ単に時短をしたら、グローバル競争に負けるだけです。もちろん「働き方改革」で無駄な業務が無くなった、効率化して成果が上がったという事例もあるでしょう。しかし、それは何もお上から「働き方改革をしなさい」といわれてするものではなく、企業が競争に勝って存続するために、自助努力しなければいけない部分です。それができなくて、非効率な働き方をしている組織は衰退して、滅びるのみです。

ですから、今回の働き方改革関連法案は企業側からすれば余計なお世話です。一部のサラリーマンにとっては歓迎すべき法案かもしれませんが、そこも一律に論じることはできません。仕事をしたいのに時間は無い。上からは効率化しろといわれる。しかし、一朝一夕にはいかない…。と板挟みにあって困っている人の話は枚挙にいとまがありません。
また、管理職には残業代がつきません。ですから、部下を早く帰したために管理職の帰りが更に遅くなったという話もよく聞きます。ちなみに、中小企業の管理職の給料は、大手の一般社員とたいして変わりません。そういう人たちにとっても、働き方改革は余計なお世話です。

もちろん根本的な問題として、仕事量と人員のミスマッチがあるかもしれません。しかし、いつも人員にピッタリあった程よい仕事が来るほど世の中は単純ではありません。また、程よく仕事をして、しっかり儲けて、残業ゼロでも給料が高いという企業があったら、羨ましい限りです。私たちのような普通の人は最初から効率よく働いて、たくさん儲けることは難しいのです。最初は数をこなして、そこからどうしたら上手く、効率よくできるのか見えてくるのではないでしょうか？　まさに、量をこなして、質に転換するのです。

職人技を要する業界も悲鳴を上げています。美容室などでは、お店を閉めた後に、先輩社員が新人の研修を行います。これに残業代をつけたり時間を規制したりすると、今までのような練習ができません。なかなか一人前になれないと、社員と経営側双方にとって悲劇です。もちろん、腕のよくない美容師に髪をカットされるお客にとっても悲劇です。

また、私がときどき通うマッサージ店の店長が愚痴を言っていました。「2店舗あったのですが、1店舗は閉鎖しました。お客様はいらっしゃるのですが、腕のいい柔道整復師が募集できなかったのです。何十万円もかけて1年募集しましたけど、ウチの基準に達する人は来ませんでした。また、ウチは夜が混むのに、17時までしかできませんという人もいました。技術もないのに17時で帰っていたら、いつまでたっても上手くなりませんよ」と。

このような話は、上記のようなサービス業だけでなく、我々製造業も同じです。最後はそのサービスや製品を買う消費者の不利益になるのです。さらには、メイド・イン・ジャパンの信用問題にも発展します。いろいろな業界で、腕がいいのは高齢者で、その人が引退したらもうできませんというのは国家の損失です。

そして、中小企業の社長や、個人事業主の皆さんにとっても働き方改革は余計なお世話です。そういう人はまさにバブル時代と同様、24時間体制で働いているのです。万が一、過労で倒れても、労災にはなりません。全て自己責任で、誰のせいにも何かのせいにもできないのです。

ですから、私は誰かのせいにしたり、何かのせいにしたりする昨今の風潮には、とても違和感があるのです。もちろん、社長と一般社員では仕事の責任の範囲も違いますし、それに伴う権限の大きさも違います。

しかし、自分の人生をどのように生き、どのように働くかは一人一人の手の中にあると思うのです。17時で帰りたい人、納得のいくまで働きたい人、一人一人違うはずです。それを政府が介入して、規制するのは越権行為ですし、保護の対象外の人（管理職、役員、個人事業主）との差があまりにも大きすぎます。

ストレス解消の方法は？

それにしても、30年前、50年前はなぜ多くの人が文句も言わず、長時間労働をしていたのでしょうか？　その答えは皆さんも容易に想像がつくと思います。企業も日本も右肩上がりに成長していたからです。もちろん、年によっては不景気という時もあったでしょう。しかし、大きな流れでとらえると緩やかなインフレと共に、売上も給料もＧＤＰも伸びていったのです。そうであるから、人生計画も立てやすいのです。何歳で車を買って、何歳で結婚して、何歳で家を買って…と。

バブル崩壊は平成三（１９９１）年からといわれていますが、株価が下がり始めたのはその前年です。その次に土地やゴルフの会員権、美術品、宝飾品などの資産価格が下がっていきました。そして、いよいよ平成十（１９９８）年から本格的なデフレ経済が始まって、一般的なモノの値段が下がり始めたのです。企業活動ではたとえ数量が同じでも単価が下がれば、売上は当然下がります。さらには担保にしていた土地の値段も安くなり、相対的に借金の負荷が高くなりました。企業はこの二十数年間潰れないために必死にコスト削減と借金返済をしてきました。

インフレ時代は多少の無駄や失敗は放っておいても大した負荷ではなく、それよりも次の仕事に向かって全力投球した方がお得だったのです。一方、デフレ時代は一つの失敗でも敗戦処理は重たく、更に未来はデフレで価値が下がっていくのです。だから、売上計画も設備投資計画も描きにくいのです。インフレは過去の価値が下がり、デフレは未来の価値が下がります。１８０度逆の価値観で、企業経営を強いられたのです。

そうした閉塞感は経営者のみならず、働く人の多くが感じているところだと思います。コスト削減のしわ寄せは社員にいくからです。だからこそ、ストレスが高く、自分がいる場所を「ブラック」と呼んでしまうのではないでしょうか。これは既に多くの人が指摘していることではありますが、ストレスとは働いた時間に比例するのではなく、やりがいや生きがいに関連します。

しかし、やりがいや生きがいは人から与えてもらうのではなく、自らが見つけるものです。ですから、一番手っ取り早い方法は、今、目の前のことにどんなやりがいを見つけるかということになると思います。自分自身の発見と認識にかかってきます。自分の人生は自分だけがコントロールできるのです。

だからこそ、他責にして、上司が悪い、会社が悪い、世の中が悪いと指を外に向けても一向にストレスが軽減しないのです。むしろ、その外に向けていた指を自分に向けて、「じゃ、自分はどうしよう」と思った方が、よほど気が楽になります。私たちは自由意思を持って自分の人生を選択できるのです。

ちなみに、弊社では「自分を指さす」という言葉を合言葉にしています。それは、何かトラブルが起こったときに、誰かや何かのせいにするのではなく、「じゃ、自分はどうしよう」と自分の中に答えを見つけることです。自分のせいだと罪悪感を持つ必要もありません。ただ、自分の思考・感情・行動の選択を自分自身でするのです。それが自分の未来を選択することになります。それができれば、ラクに生きられ、ストレスなく働くことができると思います。

自殺者数は減っている

マスコミの報道を見ていると、日本人は働きすぎで、ブラック企業に利用されている可哀そうな犠牲者で、だから自殺する人も出てくる、という論調です。しかし、ここで二つ目のデータを確認してみましょう。それは日本人の自殺者数です。

デフレが始まった平成十（１９９８）年に３・２万人に急増し、その後、14年間３万人台で推移していました。ところが、震災後の平成二十四（２０１２）年から２万人台で推移し始め、その後も毎年減少し続けています。また、自殺の原因についてですが、半数は健康問題です。いわゆる勤務問題については約１割です。その数字も平成二十四（２０１２）年から減少に転じているのです。

とても興味深い数字です。日本人の意識が震災によって変わったことが読み取れます。「アベノミクスで景気が良くなったからだ」という人もいるかもしれませんが、いまだにデフレで、日本の経済環境は決して良くなっていません。ですから、景気が良くなったというよりは、意識の変化の方が大きいでしょう。大きな震災を体験して、私たちは生かされている奇跡を実感しているのかもしれません。

平成三十（２０１８）年の夏は異常な猛暑でした。そして、台風も何回も発生し、水害も多く、同年9月には北海道で大地震が起きました。自然の脅威を目の前にすると、私たち人間は生きていることが当たり前ではなくなっています。だからこそ、私たちには助け合う、分かち合う、おかげ様、お互い様、足るを知るという心が大切になってくるのです。

マスコミやネットでは一生懸命働くことを否定して、頑張る人を気持ち悪い、洗脳されているなどと揶揄します。しかし、災害が起きた時に、自分のことを後回しにして他人のために働く人は日本中にたくさんいます。そして、その献身的な姿を見たときに感動します。同年8月に行方不明だった2歳児を発見したスーパーボランティアの尾畠春夫さんには日本中が感動しました。私の友人も目をキラキラさせながら、「あんな風に生きられたら、幸せよね～」と言っていました。私も同じ思いです。

第４章

日本に伝わる和のこころ

ノークレームで許す社会へ

日本人は神経質？

日本人の特徴は優しい、共感力が高い、勤勉、誠実など、良い面がたくさんあります。しかし、諸外国と比べると少し神経質な面があることは否めません。例えば、少しでも賞味期限が切れていたらその食品は捨ててしまうとか、いろいろなところを除菌ペーパーで拭いてしまうとか……。最近はコロナ対策として、マスクは必須になりました。もちろん、衛生観念というのは教育と共に高まってくるものですが、日本では少し行き過ぎているようにも思います。

例えば、もし外食していて、料理の中に髪の毛が1本でも入っていたら大変です。最近ではお店や商品に不具合があればすぐSNSで発信されるので、提供する側も対応が大変だと思います。また、加工食品の場合は腐っていたり、カビが生えていたりしたら、大クレームになります。もちろん、生産工程に問題があれば改善しなければなりませんが、食べ物が腐るのは自然な現象です。何週間も腐らないようにしようとしたら、保存料などの添加物が増えるだけではないかと逆に心配になります。

ちなみに、大正８年生まれの父と昭和４年生まれの母に育てられた私は、多少古いものでも「もったいない」と言われて、食べさせられました。パンやお餅もカビが生えたら、そこだけを切り取って食べたものです。お腹が痛くなったら、自己責任という大らかな時代でした。

しかし、今はアレルギー症状を自覚する人も増えてきました。レストランでは「食材でアレルギーがあるものはございませんか？」と聞かれることもあります。一見親切な対応に見えますが、これらは万が一のときのクレーム防止策なのだと思います。いずれにしても、窮屈な世の中になりました。

クレームが変容し、量も増えた

私は製造業を父から引き継いで24年になりますが、クレームの内容は年々変わってきているように思います。弊社ではアルミの材料と、鍋などの商品を製造販売しています。材料は加工メーカーなどに出荷しますから、いわゆるB to Bで、プロ同士のお付き合いになります。しかし、鍋などの商品は一般消費者のユーザーが多いので、さまざまなクレームをいただくのです。

もちろん、商品に不具合があれば弊社の責任ですが、中には誤使用や経年劣化までクレーム対象になるときがあります。例えば「上手く玉子焼きができない」とか、何年もお使いになった後に「不具合があるので交換して欲しい」とか……。

そして、一番困るパターンは電話をなかなか終わらせてくれないときです。感情的になっている場合もありますし、中には「私は現役のとき、商品管理をしていたけどね……」と〝ご高説〟を賜る場合もあるのです。10年前、20年前ですと、一般消費者の方からクレームをいただくことはほとんどありませんでした。商品に不具合があった場合、お客様はそれをお店に返品していたのです。そして、その原因によってお店で処理したり、問屋さんに返品したり、あるいはメーカーまで返ってくる場合もありました。いずれにしても、感情のこじれはあまり生じなかったのです。今は感情的なお叱りも多いので、お客様係や営業の者は大きなストレスを感じるときもあります。

一般論でいえば、クレームは商品改良のチャンスですし、お客様への対応によっては逆にファンになっていただくチャンスです。もちろん、私共はそのような思いで対応していますが、クレームの内容と量の変化はそのまま日本人の変化といえると思います。お互い様という気持ちはなくなり、どのようなミスも許さないという姿勢です。

引き続き弊社の話で恐縮ですが、鍋は大きく分けて家庭用と業務用があります。家庭用の鍋はホームセンターやスーパーなのどで売られるのですが、価格競争が大変厳しい分野です。そして、棚に並んでいる鍋のほとんどは中国製です。日本製と表示してあっても、材料が中国製の場合もあります。もちろん、最終加工地が日本ならば、日本製と表示してもいいのですが、実は材料や部品全てが日本製であることはとても珍しいのです。

弊社ではアルミの板を練馬の工場で圧延し、その板を栃木や群馬の工場で加工しています。弊社で作れない取っ手や蓋のつまみなどは近隣の協力工場に依頼しています。つまり、本当のMade in Japanなのです。しかし、それも風前の灯火です。協力工場の社長は60代~70代で、一人でやっている方が多いのです。どうしても跡継ぎがいない場合は弊社の社員がその技術を引き継ぐしかありません。

このように苦労して作った鍋も、家庭用ですと中国製の競合品に価格競争で負けて、あまり売れません。ホームセンターのバイヤーからは「何製でもいいから、安いものを持ってきて」と言われたこともありました。品質がそこそこであれば、安い方がいいというのは消費者のニーズでもあるわけです。

赤字なのに供給責任？

私共はそれなりに努力したつもりですが、市場価格に合わせようとすると、鍋を赤字で売らざるを得ませんでした。しかし、私は営業会議で「赤字で売るということは、おカネを貼りつけた鍋をタダで差し上げていることですよ」と言って、何度も値上げを試みました。業務用の方はお客様のご理解を得ることができたのですが、家庭用は難航しました。今では笑い話ですが、上司に「値上げしました」と報告しておきながら、実は値上げができていなかった営業マンもいたのです。

結局、赤字商品は廃番にすることにしました。また、黒字でも年間50個以上売れない商品も廃番にしました。要するに、家庭用のマーケットからは撤退したのです。すると、バイヤーからは意外な言葉をいただいたのです。「代替商品を持ってきて」と。それができないから、商品を廃番にして、家庭用から撤退しようとしているのに…。「我々の力不足でそれはできません」とお答えすると、「供給責任があるだろう！」とお叱りを受けたのです。赤字で、年間数個しか売れない鍋の供給責任が、メーカーだけにあるというのでしょうか……。値上げを認めて、たくさん買ってくだされば、廃番にはしませんでした。

そして、最終的には他メーカーの鍋に入れ替わり、弊社の売れ残った鍋はセール品となりました。その処分費まで支払わされたので、タチの悪い人と別れるときの慰謝料のようなものです。今から考えれば、これは「優越的地位の乱用」なので、断固拒否すればよかったと思います。

もちろん、このように意地悪なお客様ばかりではありません。中には「この商品がとっても好きで、なくなるのは残念だ」と言ってくださる方もいました。私たちも、黒字でたくさん売れるなら、永遠に生産したいのですが、現実はそう簡単ではありません。最近では慣れ親しんだお菓子が販売中止になったりして、話題になりました。つまり、民間企業は赤字で商品を提供し続けることはできないのです。

確かに商品を廃番にするというのは実力不足の結果です。しかし、メーカーは問屋や小売店の奴隷ではありません。撤退や廃業の権利ぐらいは持ち合わせているはずです。そのような基本的なこともうやむやになっているほど、バイイングパワーが強くなりました。それは取りも直さず、一般消費者のバイイングパワーが強いことを表しています。

そのようにいうと「今はデフレで可処分所得が下がっていて、消費者は安いものしか買えない弱い立場だ」という反論があるかもしれません。確かにこの22年間、日本は世界に類を見ないデフレに見舞われ、国民の平均賃金は下がっていきました。消費者は1円でも安いものを見つけて自己防衛しなければなりません。しかし、だからこそ安くて良いものを求めたいという気持ちがバイイングパワーになるのです。

品質を上げて、コストを下げて、早く造るということは製造業の永遠のテーマです。吉野家の「うまい、安い、早い」は製造業のQCD（品質・コスト・納期）を端的に表したものです。もちろんサービス業にもあてはまります。しかし、これには限界があって、コストはゼロになりません。例えば、社員の給料、仕入れた原材料、電気・ガス・水道代、工場の減価償却費、設備の修理費、固定資産税などの税金、出荷のための荷造運賃など、かかる経費はたくさんあります。ですから、良いものを造ろうとすればコストも時間もかかるのです。そこを限界まで頑張っているのが日本の産業なのだと思います。

クレームに感情を貼りつけない

そもそもこの22年間のデフレで、日本企業は疲弊しました。つぶれないために必死に良いものを安く早く提供しようとしました。そのしわ寄せが結果として働く人にいったのかもしれません。

前章の「楽しく働きましょう！」で述べたように、必ずしも諸外国や過去の日本と比べて労働時間が多いわけではありません。右肩上がりの将来が描けないところに閉塞感があります。働く人がニコニコと幸せそうにできないのは、未来の価値が下がっていくデフレに原因があるのだと思います。また、上記のような理不尽なクレームも働く人を消耗させます。

今のままで良いわけがありません。政府は今までの経済対策の誤りを認め、大幅に財政出動する必要があるでしょう。諸外国は財政出動と共に経済成長しています。更に、消費税も一時的に凍結して、消費を刺激するべきです。

しかし、我々国民にもできることはあります。私たちはモノやサービスを買うときは消費者の立場ですが、働くときはその提供者の立場になるのです。ですから、消費者のときに、その権利を振りかざすだけでなく、提供者の立場を踏まえた対応もしてみてはいかがでしょうか。簡単にいえば、むやみやたらにクレームを言わないということです。そうすれば、働く人のストレスが少しは減ると思います。

あるとき、妹家族とファミリーレストランへ行きました。その店はとても混んでいて、店員さんがなかなか来ません。いの一番に、お店に同情したのは当時19歳の姪っ子でした。「アルバイトが足りないのかな？　お店が混んでいるのに、この人数じゃ、回らないよ」と。その姪っ子は1年ほど前から飲食店でアルバイトをしているのです。ずいぶん成長したものだと感心しました。私たちも店員さんがなかなか来なかったり、何かミスをしたりしても、感情的に怒らないようにしたいものです。明日は我が身になるかもしれないからです。

また、買った商品に不具合があったとしても、冷静に対応していきましょう。「どういう管理をしているんだ！」「時間を返せ！」「納得いかない、社長を出せ！」などと、怒っても仕方ありません。多少のことなら受け入れて、受け入れがたいなら返品すればいいのです。人間ですからミスはします。工場で造ったものも絶対ではありません。そして何よりも怒りながらクレームを言うのは、自分自身の気分が台無しになるのです。

お互い様、おかげ様の気持ち

間違っているものを指摘するという正義感はこの際、横に置いて、まずその現象を許しましょう。許したうえで、返品、改善してほしいなら、それを静かに伝えればいいのです。

良い商品や良いサービスは皆で育てるような気持ちで、支え合いの世の中を作っていきましょう。民間企業に過度な要求をしても、それは巡り巡って自分に返って来るかもしれないのです。企業のミスに対して、損害賠償を求めても、おカネは企業の金庫から湧いて出てくるわけではありません。結局、モノやサービスを私たちに売ることで、そのおカネを集めることしかできないのです。それができなければ、つぶれるだけです。

日本人は本来、大らかな民族だったと思います。許し合い、助け合い、分かち合いながら共同体を維持してきたのではないでしょうか。クレームを言ったもの勝ちのような価値観は日本人らしくありません。お互い様、おかげ様の気持ちで「許す社会」を私たちが作っていきましょう。

そして、許すことができたら、次は「感謝」です。クレームが飛び交う世の中ではなく、「ありがとう」が飛び交う世の中を作っていきましょう！　そんな世の中を作ることは簡単です。あなたが商品を買ったり、サービスを受けたら「ありがとう」と言えばいいのです。

仕事でうつ病にならないために

いつのまにかパワハラ法ができました

令和元（2019）年7月に第25回参議院議員選挙も終わり、なんだかんだ与党の自民・公明で過半数を取りました。子供のように駄々しかこねない野党には、なんの期待も持てないので負けて当然ですが、だからといって自民党を支持したいわけではありません。安倍内閣も様々な法律をいつの間にか作って、日本売りをしているからです。

いわゆるパワハラ法もその一つです。正式には労働施策総合推進法、男女雇用機会均等法など関連法律5本の一括改正です。平成三十一（2019）年3月に閣議決定がされ、4月に衆院、5月には参院で可決、成立していました。あいかわらず、こういうときは早いです。大事なことは遅いのに……。

セクハラやマタハラについては既に防止措置が企業に義務づけられていますが、今回はパワハラについてです。法改正ではパワハラの要件をもうけ、事業主に相談体制の整備など防止対策を取るよう義務づけました。また、被害を相談した労働者の解雇など不利益な取り扱いを禁止していますが、具体的な内容はこれから労働政策審議会で指針を定めたようです。

これらのパワハラ対策の義務化は令和二（２０２０）年6月から大企業で始まり、中小企業は２０２２年から始まります。これらの対策を法律で厳密に運用したら、組織はいったいどうなるのでしょう？　今でさえ、上司と部下の面談はどちらもボイスレコーダーを忍ばせているような世知辛い世の中です。それがさらに進み、一億総監視社会のようになるのでしょうか…。しかし、罰則を伴う行為自体の禁止規定がないことは不幸中の幸いでした。

厚生労働省が考えるパワハラとは？

パワハラ法ができた背景は、厚生労働省の労働局への相談件数が増加したからですが、実態がどうなのかは正確にはわからないと思います。皆さんもお気づきだと思いますが、パワハラというのはあくまでも受け手の主観によるものだからです。55歳で昭和も知っている私の体感としては、いわゆる怖い上司というのは激減していると思うのです。怖い先生も、怖い先輩も同様に激減しているはずです。もう絶滅危惧種です…。

ですから、相談件数とパワハラの実態が正比例していないことは容易に想像できます。弊社でも昔は私の父を筆頭に、相手が失神するかというほど怒鳴る上司がいました。父は大正生まれで、若い頃は陸軍にいましたので、いわゆる戦争の生き残りです。それこそ、たるんだ態度で仕事をすれば「貴様！　どういうつもりだ!!」と眼鏡のレンズに目がくっつきそうになるほど目をむいて怒ったそうです。引退した幹部から聞いた話です（苦笑）。

厚生労働省ではパワハラを次のように定義しています。「同じ職場で働く者に対して、職務上の地位や人間関係などの職場内での優位性を背景に、業務の適正な範囲を超えて、精神的・身体的苦痛を与える又は職場環境を悪化させる行為」です。ここで、「職場内での優位性」と抽象的に表現しているのは、パワハラは上司から部下に対するものに限らないからです。同僚や先輩、あるいは部下からのパワハラも想定しているのでしょう。また、「業務の適正な範囲」という定義がなんとも曖昧ですが、同じ叱責でも、Aさんは精神的苦痛を得ているのに、Bさんは平気という場合はよくある話です。

ですから、厚生労働省はご丁寧にパワハラを6種型に整理してくれました。①身体的な攻撃、②精神的な攻撃、③人間関係からの切り離し、④過大な要求、⑤過小な要求、⑥個の侵害。

しかし、定義をしたり、分類をしたりしても、しょせんは定性的評価です。繰り返しになりますが、受け手の主観で「パワハラだ」と訴えられるのです。もし、殴ったり、怪我をさせたりしたら、それはもはやパワハラではなく、傷害罪や暴行罪です。つまり、民事を超えて刑事事件が成立します。また、相手を脅迫すれば脅迫罪、業務に関係のないことを強要すれば強要罪です。名誉を傷つければ名誉毀損罪が成立します。

既に刑法上、様々な罪が規定されているので、何か問題があったらば、刑事事件として処理すれば良いと思うのです。「そんなことしたら、職場にいられなくなる」という人もいるかもしれませんが、パワハラとして訴えたところで、職場にいづらくなることは同じです。ですから、このパワハラ法案は既存の刑事事件では立件できないことを、更に事件化しようとしているのでしょうか？

上司は部下のご機嫌をうかがって、手もみをするように仕事を依頼したら、間違いなくその部下は育ちません。また、パワハラの分類で「過剰な仕事も過少な仕事も与えてはいけない」とありましたが、その人の能力ぴったりの仕事を会社が常に用意することは不可能です。会社は業績やトラブルによって、仕事量が増えたり減ったりするものです。難易度も変化します。特に仕事が多いときは、まさにどう効率よく働くか、成長のチャンスです。それを

「仕事量が多い」と労働局に訴えたら、その人の成長は止まってしまいます。止まるだけならまだしも、常に他責にしている人は年齢と共に衰えていくでしょう。

ストレスチェック制度

「安全労働衛生法」が改正され、平成二十七（２０１５）年12月からストレスチェック制度というものが施行されました。対象は従業員50人以上の事業所です。ですから、弊社でも練馬の本社工場が対象となり、4年前から希望者に対して行っています。厚生労働省はパワハラ法といい、ストレスチェック制度といい、余計なお世話ばかりしてきます。

まず、ストレスチェックをしたい人に厚労省オススメのテストをします。これは厚労省のホームページに57項目の質問が載っていますので、笑いたい方は是非見てください。質問内容はこうです。

1．非常にたくさんの仕事をしなければならない
2．時間内に仕事が処理しきれない
3．一生懸命働かなければならない
4．かなり注意を集中する必要がある

5．高度の知識や技術が必要なむずかしい仕事だｅｔｃ…。

もちろん、ｙｅｓと答えると、高ストレスと判定されます。つまり、時間内に処理しきれない仕事をするために、自分の知識と技術を発揮し、集中力を持って、一生懸命働くとダメなのです。そんなことをしていると、しまいにはうつ病になるので気をつけて下さいと厚労省は警告しているのです。

百歩譲ってその通りだとしても、それは企業や各個人でコントロールすべきであって、国が企業に管理を義務付けるものではありません。しかも、このテストの結果は本人にフィードバックされ、会社は関与できません。従業員は希望すれば産業医などに面談できますが、その内容次第では配置転換や仕事量の調整をしろというのです。テストや面談の確実性は担保されず、いわゆる言ったもの勝ちのような制度です。幸い、弊社には困った社員はいませんが、やろうと思えばいくらでも悪用できる制度ではないでしょうか。

また、ある産業医は「面談しても、上司と会社の悪口しか言わない。制度の趣旨と違うので、聴いているこちらもイヤになります」とボヤいていました。私はそうなるだろうと容易に想像できますが、厚労省の方は「これでうつ病が未然に防げて、会社も労働者もハッピー」と思ったのでしょうか。

わざわざ経営側と働く側の二項対立を厚労省があおっているのです。「あなたはストレスがありませんか？　このまま働いているとうつ病になりますよ」と。これは会社にとっても社員にとっても大変迷惑な話です。真面目に働いている人をうつ病に陥れようとする、とんでもない制度だと思います。

私のうつ病体験

「セクハラ・パワハラで萎縮する社会」で示した結論を再び述べると、「自分の目の前で起きている現実は、全て自分の心が映し出している」ということです。つまり、何を体験しようが、誰が何を言おうが、全て自分の意識の投影なのです。

この意識というのが曲者（くせもの）で、自分で自覚している顕在意識だけでなく、潜在意識も含みます。

今は私もそれが何となくわかるようになりましたが、自分が苦労の真っ只中にいるときは、全くわかりませんでした。つまり「私はこんなことしたくないけど、仕方ないからやっている」と思っていました。しかし、今から思えば、自分の意識で「苦労」を映し出していたのです。

例えば、当時の私の座右の銘は「人生は思い通りにならない」でした。しかし、これも皮肉なことですが、「思い通りにならない」と信じて、まさに思い通りにならない人生を歩んでいたのです。つまり、自分が思った通りになっていたのです！　今は「人生は思い通りになる」とまでは思っていませんが、「やりたいことは何でもやれる」と思って生きているので、まさにやりたいことを何でもやっています。

24年前、私が31歳で最初の子を産んで1か月後、アルミの会社を経営していた父が亡くなりました。１００億円の借入の個人保証をして、アルミも経営もわからないのに、跡を継いだのです。それから、15年間は迷走しました。よく、会社も私も潰れなかったと思います。

もちろん、ずっとうつ状態だったわけではなく、元気なときもありました。しかし、上記のような座右の銘を持っていたので、義務感・責任感・使命感で「苦労」を味わい尽くしていたのです。ですから、気分が落ち込み、日常生活さえままならなくなると、心療内科へ行きました。相談相手が他にいなかったからです。しかし、クリニックでは身体の状況を聞かれ、薬が処方されるだけです。「この先生は私をわかってくれないな」と思うと、病院を変えたりしていました。

社長業15年目の平成二十三（２０１１）年、４軒目のクリニックに通っている時です。３

月11日に東日本大震災が起きました。私は次の週、クリニックを予約していましたが、キャンセルしました。日本がこんな大変なときに、個人的なことで悩んでいることが恥ずかしくなったのです。以来、クリニックにはお世話になっていません。

もちろん、すぐに元気になったわけではありません。「ブラック企業なんてない！」の項で詳しく書きましたが、友人のコンサルタントに「やりたいか、やりたくないかではない。やるか、やめるかだ」と言われたことも大きな気づきになりました。また、様々な方とのご縁をいただいたのもこの時期でした。

自分自身が長い間、うつ的状況を体験して今思うことは、私たちは命の危険がないときに悩めるということです。例えば、戦争中は生きるために必死です。部屋の中で、引きこもっているヒマはないのです。しかし、皮肉なことに、うつ状態が深刻化すると、自殺願望が発生し、自らを命の危険にさらしてしまいます。もったいないことです。

ですから、緊急避難的に薬の処方もありかもしれません。しかし、言うまでもなく、薬への依存は危険です。だからこそ、自分の意識で現実を作っているということを知り、予防していくことこそが最善だと思うのです。

うつ病にならないために

うつ的状況のときは激しい自己嫌悪に陥ります。そのときは周りに対して怒ることもできません。ですから、上司や会社の悪口がいえる間はまだ大丈夫です。深刻な状況になると、「皆に申し訳ない」「私はダメだ」となってしまいます。うつ病にならないためには感謝の気持ちが大切ですが、そういうときに感謝の気持ちは持てません。元気なときにこそ、感謝を数え上げるようにして、感謝の気持ちを育てることがいいでしょう。

そして、先のことを心配せず、過去を後悔せず、あるがままを受け入れ、今に集中するのです。それを神道では「中今（なかいま）」といいます。私たちは連続した時間の中に生きていると錯覚していますが、実はパラパラ漫画のように一瞬一瞬は独立しています。だからこそ「今」「今」「今」に集中して、「今」を自分で選択していくのです。

そうすれば、ストレスチェックなどしなくても、自分にストレスがないことがわかります。仮に「イヤだな」と思うことが起こっても、その感情を外して、「今」に集中する。「感謝」と「中今」、それが根本的なうつ病予防です。

魂となった母から学んだこと

その日は突然に

令和元（２０１９）の9月16日、母が急性大動脈解離で亡くなりました。90歳の大往生でした。

23年前に父が亡くなったとき、私は実家に戻り、母との同居を再開しました。私が会社を継ぐことになったので、母に子育てを手伝ってもらうためです。以来、二人三脚で二人の子供を育ててきました。

8年前に古い実家を建て替え、二世帯住宅にしました。母は1階に、息子と娘と私の3人は2階にと、世帯を分けました。このことも、今となっては良かったのかどうかわかりませんが、母とは色々とあり、少し距離を置きたかったのです。しかし、週末にはいつも一緒に食事をするなどして、それなりに時間を共有してきたつもりです。

母は丈夫な人で、特に持病はありませんでしたが、足腰は歳なりに弱っていました。87歳までは社交ダンスをやるほど元気だったのですが、坐骨神経痛を患ってから、大好きなダンスを断念していました。それでも、調子が良い日はカートを引っ張って、池袋のデパートでお買い物です。とにかく、好奇心旺盛で、活動的でした。

そんな母が、亡くなる前日「お腹と背中が痛くて、気持ち悪い」と言います。吐くほどではなかったのですが、その日は珍しく夕食を食べませんでした。母は「心臓が悪いのかな…」と気弱なことを言っていましたが、私は「あのね、90歳なんだから、若い人と同じわけがないでしょ」といつもの調子で、あまり取り合いませんでした。

翌朝、母の調子を確認すると「気持ち悪くて、眠れなかった」と言うので、さすがに病院へ行った方がいいと思いました。その日は敬老の日で、近くの病院はお休みです。私は「車を出すから、休日診療の病院へ行こう」と誘ったのですが、母は「今日は薬飲んで様子見る」と言ったのです。これが最後の会話になりました。リビングのいつもの椅子に座って、薬の袋を眺めている姿は、今から思えば少し力がぬけていて変でした。

私が２階へ戻って食器を洗っているときに、ゴトンという音が聞こえました。母が何かを倒したかな？　と思ったのですが、１階にいる犬も吠えなかったので、直ぐには下へ行きませんでした。それから少しして下へ降りると、母がリビングの椅子から転げ落ちて、床に仰向けに倒れていたのです。一目見て、その姿に魂がないことがわかりました。目と口が開いていて、右手の肘から先がなぜか少し上がっていました。最後に会話をしてから十数分後のことでした。

私は令和元（２０１９）年の夏に矢作直樹先生の『安心して、死ぬために』という本の編集作業を手伝っていました。ですから、家で急に亡くなると、その後の展開もわかっていたので、少しだけ迷いましたが、１１９番をせざるを得ません。訪問診療などを受けていれば、かかりつけ医に連絡する方が良かったのですが、母は前述したように持病もありませんでしたので、それはできませんでした。

「意識も呼吸もありません」と１１９番に連絡をすると、救急車の到着まで、心臓マッサージをするように指示されました。私は「もうダメなのに」という思いと「静かに逝かせたい」という思いがありましたが、やり方は知っていたので、やってみました。すると、身体や頭部が揺れたせいで、それまでわからなかった頭部からの出血を確認しました。さすがに床に血が流れたときは、それ以上の心臓マッサージは行いませんでした。

そうこうしているうちに、救急隊と近所に住んでいる妹がほぼ同時に駆けつけてくれました。それからは、予想通りの展開です。ＡＥＤで電気ショックを与え、その前後に心臓マッサージを行います。そして、救急車に乗り込みました。その間も隊員の方はずっとマッサージを続けます。「これが噂の肋骨が折れるほど、行う心臓マッサージか…」と思って見ていましたが、救急車の中で想定外のことを聞かれます。「高度な蘇生を望みますか？　それとも死亡確認のための病院へ搬送しますか？」私と妹はホッとして「近所の病院で結構です」と答えました。

家で死ぬと少し面倒

近所の病院で、死亡確認が行われました。若い医者が瞳孔を確認し、時計を見ました。「8時10分、ご臨終です」と告げられました。私は「本当は7時20分頃なのに」と少し違和感がありました。

そして、ここから少し面倒なことになります。私たちは受付で長いこと待たされますが、警察がその病院に来たのです。私たちはプチ容疑者となって、これから取り調べです。母は警察に運ばれて、検死が始まります。

とはいえ、90歳の老人が死んで、「前日にお腹と背中が痛くて、気持ち悪いと言っていました」という私の証言もあります。警察の方も、一応仕事なんでスミマセンという雰囲気で色々聞いてこられました。

ただ、私たちもこの時点で、死因を知りません。立ち上がろうとして転び、頭を打った可能性もあります。警察も床の血飛沫を確認して、母の頭の近くにあった引き出しを持ち帰り、血痕を調べてくれました。

しばらくすると、警察から電話があり、私と妹が結果をうかがいに警察へ行きました。そこで「急性大動脈解離」とわかったのです。心臓が止まったのが先で、後から頭を打ったのです。引き出しにも血痕はなかったそうです。それこそ後で矢作先生に確認したところ「一度前に倒れてテーブルに額を打って、そのあと床に倒れ込んだのでしょう」と言われました。

警察から遺体を引き取ることができたのは16時頃。それでも、行政解剖にならず、早かった方だと思います。検死には検視・検案・解剖とあり、解剖までいくと、数日かかることもあるそうです。いずれにせよ、病院やかかりつけ医が出す「死亡診断書」の代わりに、「死体検案書」なるものをいただきました。これがないと、その後の手続きが何も進まないのです。

感謝はしていても、バカにしていた

私は母に対して、複雑な感情を持っていましたが、やるべきことはやっているという自負もありました。まず、父が残した会社を潰さずに、100億円の借金を返してきたこと。二世帯住宅とはいえ、一緒に住んで、週末は一緒に食事をしたこと。米寿も卒寿もホテルでお祝いしたこと。足が悪くなる前は一緒に旅行にも行ったこと……。

しかし、そんな行動はしていたものの、心の中ではいつも母をバカにしていました。なぜなら、母は他責で強欲で薄情なところがあったからです。自分は悪くなくて、悪いのはいつも自分以外のヒトやモノです。必然的に不平不満の多い人でした。他人と比較ばかりしていて、なんて愚かなんだろうと思っていました。

そして、とにかく物欲が強いので、90歳になっても趣味は通信販売です。家には置ききれないモノ、使いきれないモノがたくさんあり、それでも買い物は止まりません。そんなライフスタイルがあったので、私は二世帯住宅にしたのです。二世帯にする前は「捨てない」「捨てた、捨てない」でしょっちゅうケンカでした。ですから、私は母のエリアには口を出さないためにも、少し距離を置いたのです。

また、これも今となっては笑い話ですが、母は私が苦しみながら働いていることに、全く無関心でした。この23年間「大変ね、身体は大丈夫？」と聞かれたことは一度もなく、その代わり「会社潰さないでね、配当よろしく」と言われていたのです。先にも書きましたが、私は心療内科に通いながら働いていたときもありました。また、リーマンショックの後、弊社は数年間赤字で、無配。その時にも「なんで、配当がないの⁉」となじられたのです。

また、息子（当時2歳）がブータン人の夫に誘拐された22年前、私が必死に夫を説得していた時のことです。母に「あなたがガタガタしているせいで、私が大変だ」と言われたのです。娘の私が人生で一番つらい時でも、母は自分のことの方が大切でした。

「自分が親になって、初めて親の気持ちがわかる」と言いますが、私は逆で、「親なのによくこんなことが言えるな」と、それ以来、母は私の反面教師になりました。様々な言動を見聞きするたびに「こうはなるまい」と思っていたのです。

当然、母にもその気持ちは伝わりますので、私には弱みを見せたり、頼ってくることはありませんでした。ですから、私もこれ幸いにと言われたことだけをやって、こちらからご機嫌うかがいのようなことはしませんでした。

母は「上の娘は冷たい」と近所中に私の悪口を言って歩いていたようです（笑）。確かに私は冷たい対応しかしなかったですし、何より本気で「母は愚かな人だ」と決め付けていました。しかし、今はそれが間違いだったと思っています。

母には母の人生と生き方があって、それは娘の私も尊重しなければいけなかったのです。「親なんだから、〇〇すべき」というのは私の身勝手な期待に過ぎません。そして、鏡の法則を考えれば、私が母を尊重すれば、母も私を尊重してくれたはずです。私は母に感謝はしていましたが、尊重が足りませんでした。それも圧倒的に。

母の言動は、私たち子や孫にとって「愛すべき女王様キャラ」として、今キラキラと残っています。大好きだった京都のお煎餅とブルボンのルマンドがあちらこちらの引き出しから出てきました。生きている時は「片付けのできないダメな人だ」と思っていましたが、今は「リスみたい！　おもしろ～い！」と皆の笑いに変わるのです。

戒名を決めるにあたって、住職から母の特徴を聞かれました。「友達が多く、明るくて、社交的。華やかなことが好きで、好奇心旺盛。犬や猫、そして赤ちゃんが大好き。いくつになっても食欲旺盛で、体力があった」と私は答えたのです。良い点を見つめれば、こんなにも愛すべき母でした。

なぜ、生きているときに母の全てを受け入れ、尊重できなかったのか、今は後悔しかありません。

魂になった母

魂とコンタクトが取れる友人が母の様子を教えてくれました。「お母さん、肉体を脱いで、身体が自由になったと喜んでいる」「死に方があっぱれでしょ、と自慢している」と。母がニコニコと喜んでいる様子が目に浮かぶようでした。そして、私に対して「由美ちゃん、好きなことをしなさい」と伝えてくれました。生きている時は、私が旅行に行くと不満気に「誰がネコの餌をやるのよ！」と文句を言っていたのですが（笑）。

私は魂になった母からも学びました。肉体がないとエゴが消えて、視座が変わるのです。母のキャラはそのままですが、ちょっと神様っぽくなっていました。私が「色々バカにして、すみませんでした」と頭を下げると、母も頭を下げて「あなたじゃなきゃ、できないことをやってくれた。ありがとう」と言ってくれたそうなのです。

母は私に老い方、死に方を見せてくれて、そして今度は魂になって、見守っているのです。私は今まで母を守ってきたつもりでしたが、それは勘違いで、母の存在が我が家の大黒柱でした。親を選んで生まれてきたことを考えれば、やはり反面教師ではなく、本当の教師だったのです。

私は強い正義感から人をジャッジすることが多かったのですが、母が死をもって教えてくれたことをこれから実践していくのみです。人は自分の鏡。人の愚かなところを見て、ジャッジするのではなく、それも自分が映し出している投影と受け入れる。現実を見て一喜一憂せず、物事に反射的に反応しない。そして、相手を変えようとせず、自分が変わる。

それができたかどうか、あの世で待っている両親に報告する日まで、日々を丁寧に生きていきたいと思います。今回は母に対する感謝と懺悔（ざんげ）の気持ちで書かせていただきました。

合掌。

赤尾敏が総理大臣ならこうする！

明治から平成まで生きた赤尾敏

明治生まれの伯父・赤尾敏が亡くなったのはちょうど30年前の平成二（1990）年。ですから、その名前を知る人も少なくなってきました。そういう私も、2年前に『愛の右翼・赤尾敏』を上梓するために伯父のことを調べるまでは、どういう人なのかを詳しくわかってはいませんでした。私にとっては、ガラガラ声だけどいつも優しい「大塚のおじさん」だったのです。

赤尾敏は名古屋生まれですが、17歳の時に結核にかかり、東京の三宅島に移住しました。そこに、父親が経営する牧場があったのです。自然豊かな三宅島で療養し、すっかり元気になった頃、敏青年は理想郷を三宅島に作ろうとしました。皆で働いで、皆で分配して、皆で仲良く暮らす共同体です。その思想の背景にあったのは、武者小路実篤の「新しき村」という雑誌とその活動です。

時代は今から約１００年前の大正七（１９１８）年。第一次世界大戦中で、戦争特需はあったものの、激しいインフレが起き、国内では貧富の格差が広がりました。米価も高騰し、米騒動が起こったのもこの時期です。そのような時だからこそ、敏は原始共産社会のユートピアを夢見ていたのです。

その活動は3年で挫折し、三宅島から東京へ移動したのが大正十（１９２１）年、敏が22歳の時でした。青年らしい正義感と情熱で、敏は左翼として東京で活動しました。しかし、トラブルを起こして牢屋にいるときに、左から右になったといわれています。敏は日本の国柄に気づいたのです。天皇という存在が日本の共助社会の真ん中にいらっしゃることを。ですから、格差がなく、皆で仲良く暮らすという社会主義的発想は変わっていませんでした。

敏は右翼活動家として、天皇を中心とした国体の明確化と国民生活の保障などを訴えました。そして、戦争中の１９４２年、翼賛選挙に無所属で出馬し、当選したのです。国会では「玄関先の米英と戦っているあいだに、裏から赤い敵が入ってくる」と、戦争に反対。敏の予見通り、終戦後、ロシアが北方領土を占領し、多くの日本人をシベリアへ抑留したのです。

占領下での会議録

戦後、ＧＨＱの占領下での敏の発言が会議録に残っています。昭和二十（１９４５）年12月13日、労働組合法案の委員会での幣原総理大臣に対する質問です。少々長いですが、二つに分けてご紹介します。

「私は国体をこう考えているのです。国体の精神というのはイエスの道、釈迦の心と一つのものである。皇祖皇宗が親心をお説きになった御仁愛の精神である。（中略）国体とは愛なり、慈悲なり、イエスに通じ釈迦の道と一つのものである。この道こそ、今日世界混乱のとき、全国民の熱意によって発揚しなければいかぬと思う。しかるに今日、受け太刀になって、国体というと国家主義のようにいわれるので、遠慮している。そうして、共産主義や社会主義者のみが日本の民主主義のごとく大きなツラをしてのさばっている。（中略）私は国体の精神をこのように考えておりますが、総理大臣のご意見をうかがいたいのであります」

どうでしょう。46歳の1年生議員の発言です。占領下の委員会でこれだけはっきり日本の国体を述べているのです。命知らずの勇気ある発言だと思います。これに対して、操り人形の総理大臣は自分の意見を述べませんでした。

そして、敏は次のように続けます。「今日いろいろ改革されるところの法律やら組織がどんどんできますけれども、その指導精神に魂が打ち込まれていない。これでは、いたずらにこういう労働組合法案なんか作っても混乱を増すのみであって、共産主義や社会主義の足場にされてボルシェビキ革命のために禍(わざわい)されるという危険すら起こってくる。なんとか国体を護持し、日本のよいところを世界に発揚する、そのことに寄与することが労働者の幸福の根源にもなりますので、労働組合法案のなかに日本的な性格を少し含めていただきたい」

幣原総理大臣は「それはご意見として承っておく」と述べただけでした。敏の予見は75年経った今、まさに現実化しています。日本は天皇陛下を中心に、愛ある家族のような国柄でした。しかし、今や家族主義は影を潜め、特に企業においては経営者と労働者を二項対立させる制度が増えました。

大日本愛国党の信条

この委員会の半年後、敏はGHQにより公職追放の指名を受けました。このとき、日本の政官財の約20万人がパージされたのです。もちろん、操り人形の人はクビになりませんが…。

追放解除後の昭和二十六（１９５１）年、敏が52歳のとき、大日本愛国党を立ち上げ総裁に就任。愛国党の信条は３つあり、信仰、教育、政治の順番です。

一、天皇・キリスト・釈迦・孔子・マホメットの教えは、一なる事を信じ、人道主義の理念により社会の革命を期す。

二、教育勅語を以て、我らの指導原理となす。

三、宗教・道徳の精神に反する共産主義に反対し、資本主義の是正を期す。

まるで、どこかの宗教法人のような信条です。ですから、伯父は右翼というより、思想家のような人だったと思います。しかし、1960年代、愛国党に所属していた青年が社会党の委員長を刺殺する事件などを起こし、愛国党は暴力的な右翼と誤解を受け続けました。

しかし、敏は世間からどんな目で見られようと、自分の主張を変えることはありませんでした。それは、三宅島でユートピアを作ろうとした純粋な気持ちと同じです。「日本の国体は愛である」という信念から、皆で仲良く暮らすということを目指し続けたのです。

また、信条の三番目にあるように、資本主義の是正も大切だと考えていたようです。なぜなら、資本主義の行き着く先は格差社会だと予見していたからです。戦争中の国会でも次のように発言しています。

「米英流の自由主義に対する反撃の運動は、一世の風潮となっております。これはまことにおめでたいことでありますけれども、これと同根一体でありますところの共産主義、コミンテルン撲滅運動に対する姿勢がくずれて、まことに振るわざる実情であります。（中略）わが日本こそ、全世界人類の先頭に立って、国際滅共運動の、反共運動の先頭に立つべき天の使命を持っているんだ」

戦争中に「自由主義と共産主義は同根一体」と述べている国会議員がいたことは驚きです。今、これだけ情報が取れる時代でもそのことを認識している国会議員の先生はどれだけいるでしょう？　どちらもダメだけれども、まずは共産主義を倒さなければならないと言っています。令和二（２０２０）年現在、全く同じ国際状況です。

そして、米英流の自由主義だ、資本主義だといったところで、１％の富める者と99％の搾取される側を作るシステムなのです。だからこそ、日本は天皇を中心とした道義国家にもどろうと訴えていたのです。

以来、平成二（１９９０）年91歳で亡くなるまで、辻説法を続けました。戦後は一回も当選することはありませんでしたので、場所は国会から街宣に変わりました。晩年は銀座の数寄屋橋が定位置でした。そこで、訴えていたのは戦前戦中と基本的には一緒です。しかし、憲法も改正できない中で、敵は日米安保賛成の立場でした。心の中では米国をバカにしていたにもかかわらず、意外と柔軟性もあるのです。

そして、冷戦構造のなかで、共産党、社会党への批判は強烈でしたが、返す刀で、自民党も切っていました。

「共産党、社会党は赤いウジ虫、公明党は青いウジ虫。こういうウジ虫がいっぱい発生するのは、日本が腐っているからだ！　政府自民党が清らかにならなくちゃダメなんだ！」青いウジ虫と呼んだ公明党が現在自民党と組んで、与党だと知ったら、伯父はひっくり返って、起き上がれないかもしれません。

格差社会になった日本

30年前に亡くなった伯父が今の日本を見たらどう思うでしょう。「だからあれほど言ったじゃないか！」と怒られるような気がします。1％の富める者を伯父は「ブルジョワ資本家」と言っていました。今でいう「国際金融資本家」ですね。彼らがいわゆるグローバル化を推進し、日本の国体を壊しつつあります。

ヒト・モノ・カネが国境を越えて、儲かる方へ流れていくのがグローバル化です。日本はその影響もあって、20年以上デフレが続いています。非正規社員が増え、女性も働かないと家計が成り立たない家庭が増えているのです。人手不足なのに、平均賃金も下がり続けるという怪奇現象はグローバル化が原因です。外国人労働者がいつのまにか増えてしまったのです。

また、安倍政権になって、二度の消費増税がありました。デフレ時代に消費に対して増税するのは愚の骨頂です。これで、ますます消費は冷え込み、デフレからの脱却は遠のくでしょう。実は伯父も、晩年、消費税導入に反対していました。伯父が亡くなる1年前の平成元（１９８９）年に最初の３％が導入されたのです。３％でもあれだけ怒っていたのですから、10％になったことに「庶民を苦しめるのは止めろ！」と目をむいて怒っていることでしょう。

また、占領下で身体を張って「労働組合法案」に日本の魂を入れろと言ったのに、ＧＨＱの中にいた共産主義者にことごとく日本の制度を壊されてしまいました。占領が終わって70年近く経つのに、いまだに壊され続けています。昨年は改正入管法が施行され、外国人労働者をもっと増やそうとしています。これではいつまでたっても、日本人の賃金は上がりません。

また、パワハラ法案、残業規制、ストレスチェックなどは、わざと労働者側に被害者意識を持たせるような制度です。つまり、日本人から当事者意識を奪い、結局、幸せを感じられないようにさせているのです。

更には、水道法や漁業法の改正、種子法の廃止など…。民営化、規制緩和、構造改革の名のもとに、日本らしさが解体されています。そして、日本を共産革命からは守ったものの、それと同根一体のグローバル化により格差社会が進行したのです。

赤尾敏が総理大臣なら

もし、赤尾敏が総理大臣なら、どういう方針でどういう政策をとったでしょう。それは戦後の焼け野原のときに、労働組合法案の委員会で言ったことと同じだと思います。

最初に、日本の国体を明らかにするでしょう。日本は天皇を中心とした道義国家で、国体は愛、大調和。そして、日本が世界に範を示し、愛と大調和の世界を実現する。

そして、基本方針は「日本の独立と自主憲法の制定」だと思います。トランプ大統領のアメリカ・ファーストを見習って、ジャパン・ファーストを掲げるでしょう。自らケンカを仕掛けることはありませんが、なめられたら、倍返しです。習近平など、小僧扱いです。

また、経済政策の骨子は「格差社会を是正する」になると思います。まず、消費税は廃止して、当面0％にするでしょう。また、財政再建などケチなことは言わず、財政出動をして、本当の弱者を救うはずです。伯父は自分のポケットに入っているわずかなカネも人に差し出してしまうような人だったのです。

そして、日本の資産や技術をグローバル企業に売るようなことはしません。日本人がわざわざ貧乏になるようなことは断固として阻止します。農業を守り、中小事業者にこそ光を当てるでしょう。

また、昨今の災害に対してのインフラ整備も盤石なものにするでしょう。国民の生命と財産を守るというのは国家の基本だからです。

今、これら当たり前のことがないがしろにされています。明治生まれの伯父から見たら、今の日本は日本には見えないかもしれません。しかし、なんとか日本としての体を成しているのは、天皇陛下が男系で１２６代、２６８０年も続いているからです。男系とは父親を遡ると初代・神武天皇につながるということです。今、女性宮家や女系天皇の話まで、出始めています。ここが崩れたら、それこそ赤尾敏が化けて出てきますよ。敏にあの世でゆっくりしてもらうためにも、私たちが日本の国体を理解し、しっかり守っていきましょう。

特別対談

並木良和と日本を語る

ウィルスへの対処には不安と恐怖をはずすことが重要

赤尾　今日はお忙しい中、本当にありがとうございます。

並木　いえいえとんでもないです、こちらこそ。対談なんて新鮮な感じで。

赤尾　4年前にお会いして以来、講演会に行ったり本を読んだりYouTubeで拝見したりして、並木さんの話はずっとうかがってきました。私自身大きな気づきを得ることができ、とても感謝しています。今日は読者の皆さんのためということもあって、改めて質問することもありますが、よろしくお願いします。

並木　こちらこそよろしくお願いします。

赤尾　最初は、世界情勢というか時事問題をうかがいたいのですが、今日のインタビューが令和二（2020）年2月の上旬ですので、今の話題と言ったら新型コロナウィルスになります。今日現在、中国で約2万人、日本は20人の感染者が出ていて致死率は2％。日本では詳しく報道されていないのですが、武漢のウィルス研究所から漏れたのではないかといわれています。今後の予測というのは並木さんがいつもおっしゃっているように、人々の集合意識で色々変わってくるとは思いますが、今、どのように感じていますか?

並木　もちろんこれは一応の収束をしていくことにはなりますが、まだ潜在的にウィルスを持っている人たちがたくさんいますので、これが表に出てきて拡大していくという流れが目に見えてくることになります。

また、このウィルス自体に関しては、自然界には無いものなので、やはり人工的なものであると言わざるを得ないでしょう。

ただ、ここで大事なのは、それが表面的にどんな経緯でやって来たのだとしても、こうした対処不能に見えるようなことが蔓延する時というのは、本当にシンプルな理由があって、例えば、こうしたウィルスの影響を受けないところまで僕たちの波動をあげてくださいね、というメッセージが宇宙からやってきているのです。

もちろん、僕たちにとって、未知のものですから、みんなが不安や恐怖から、予防などの対処に走るのは、ある意味で当たり前のことですし、大切なことでもあるのですが、結局、本当に大事なのは、そこじゃないんだよ、ってことにどれだけ早く気付けるか……それによってウィルスが収束していくのか、さらに蔓延していくのか、という分かれ目になるのです。

赤尾　いつも並木さんがおっしゃっているのは現実に一喜一憂するのではなくて、そこから何を学んでどう対処するのか。ネガティブな感情がそのときに出てきたら、それを外しましょうということですよね。

並木　まさにそうです。日々、ウィルスに関するニュースを聞いたりするなかで、不安や恐怖が出てくるじゃないですか。それを外していくというのが、まず何においても大事なことです。

少子高齢化は問題にしなくても良い

赤尾　そうですね。あと、この現象の背景というか、私としてはなにに気づいたかというと、これは「中国共産党政府の終わりの始まり」ということが一つ目。並木さんと矢作直樹先生が令和元（2019）年に出された『失われた日本人と人類の記憶』（小社刊）の中で、「あと10年は保たないでしょう」とおっしゃっていたので、その始まりが来たのかなと思いました。

並木　まさに終わりの始まりです。

赤尾　あと、二つ目に思ったことは「グローバル化の修正」です。人やモノの移動が過剰になりすぎたことへの警告かと思いました。

並木　それもあります。やはり何事もバランスの上に成り立っているので、そのバランスを崩したときに警告がなされるんです。「バランスを取りなさい」と。

赤尾　そうですよね。ヒトの移動、モノの移動はもちろんゼロにはなりませんが、もうちょっと緩やかにしなさいということですね。そして、この二つは日本にとって、良い流れだと思っています。三つ目に感じたことは、これで先ほど並木さんがおっしゃっていたネガティブな感情がどーっとあぶり出されるということです。これも二極化現象の一つで、「どっちに行くの？」と揺さぶりをかけられているのでしょうか。

並木　まさにそうです。この非常事態の時だからこそ、試されることってあるんですよ。つまり、「さぁ、こういう時、あなたは何を選択しますか？　愛を選択しますか？　それとも怖れを選択しますか？」というように……もちろん、愛から冷静に全体を見て行動できる人もいますし、怖れからパニックに陥る人もいるということです。

例えば、不安からマスクを買い漁る、というのもそうですね。

赤尾　あとヨーロッパではマスクをつけているアジア人が差別されるということも見聞きしますので、今まさに試されているのかなと感じました。

並木　本当にその通りです。だから令和二（２０２０）年ものっけから、オーストラリアの火災に始まり、コロナウィルスが蔓延し始め、まさに、「大激変の年」が始っているのです。

赤尾　よくなるための変化だと期待したいです。次に、今地球の人口は77億人くらいといわれていまして、雑な言い方をすると何人くらいが適当なんでしょう。例えば、私が小学生だった１９７０年代、学校で地球の人口は40億人と習いました。それが77億人ですから、このままいくと１００億人になるのかならないのか、１００億人になったらどういう地球になってしまうのかということを教えていただけますか。

並木　実際に１００億人になりますかと言われたら、なりませんと答えます。今、出生率などども、もちろん地域によって違いはありますが、減る傾向にあります。

不妊症が増えているのも、その傾向の一つです。これは、今までは、この大きな時代の転換期を迎えるタイミングを体験したいという意識たちがこぞって生まれて来ていたわけですが、いつもお話ししているように、この分岐点を越えると流れが決まってくるため、その興味深いプロセスを体験したいという流れはストップすることになります。

そうすると人口は、逆に自然と減っていくことになるでしょう。どれぐらいが地球にとって人口的に適切な人数になりますか？　という質問をされることがありますが、これは極論すれば、どういう意識で地球に存在するか、という問題なのです。それによって、人口が多くても大丈夫、いや、このような意識なら、この人数だって難しい、というようなことにもなるでしょう。例えば今このまま、僕たちの意識が変わらないままで、この地球での最適な人数は？　と聞かれたら、5億から10億人と答えざるを得ません。

赤尾　え!?　そんなに少ないとは、それは予想外でした！

並木　でも、もっと意識を高めていく人たちがこれから出てきます。そうなれば35億人とか……。

赤尾　それでも35億人ですか……。

並木　そうです。いわゆる適当かって聞かれると、それくらいですね、と答えます。

赤尾　まさに、私が小学生だった頃の人口でも、まだ多いぐらいということですね。並木さんのような意識の方や、あるいは不食の弁護士・秋山佳胤（よしたね）先生のような方だったら、何人いても大丈夫と思っていたのですが…。いずれにしても、今の意識のままだと奪い合うという意識の方が強く、今の人数は適当ではないのですね。

並木　要するに今の意識のままだと、どうしても不足の意識から生きることになります。そうすると不足感をベースに使うので、何かや誰かから奪ったり、満たしたりしようとします。

するとそこで摩擦や争いが起き、それが高じていけば戦争まで起こりかねません。つまり、こういう意識ではこの先、エスカレーター式に、あらゆるものを傷つけていくだけになるので、人も地球も甚大な被害を受けることになります。

赤尾　多くの方が「日本の少子高齢化は問題だ」とおっしゃっているのですが、私は、それについては良いことではないかと思っています。子供が少なく生まれるというのは、量より質なのだということの象徴ですし、高齢化に関しても、みんなが死ぬ日まで健やかに生きていればむしろなんの問題もないので、少子高齢化は心配する必要はないですよね。

並木　そうです。結局高齢になっていくと、寝たきりになる、働けなくなる、という前提でものを考えているのです。でも、これからの時代はそういう時代ではなくなっていきます。例えば、今の60代と昔の60代って全然違っているじゃないですか。充分に働けるわけです。ですのでやはり、今までをこれからに持ち越すっていうのは違うのです。つまり、「今までで」を使って、この先が予測できなくなって来ていて、「これから」というのは、今までとは全然違う流れになるので、量より質というのも正にそうで、多ければいいというわけではないのですね。

赤尾　確かに子供がたくさんいると楽しいし、にぎやかですけど、地球全体を考えると日本が率先して、少子高齢化でも豊かで幸せな生き方ができるという範を示すべきではないかと感じます。

並木　色々な見方や捉え方がありますが、少なければ少ないなりに教育やケアが行き届き、大人数では手が回らないことも、しっかり関わることができるという利点もあるでしょう。それよりも色々な意味で、少子高齢化を問題にするその問題意識そのものが問題であると感じます。

反グローバル化の流れ

赤尾　ありがとうございます。次に、今、世の中を大きく二つに分けるとグローバル化と反グローバル化だと思います。反グローバルをローカルという風に言ってもいいのですが、この流れを見た時にどちらが人類にとって幸せの道なんでしょう。

グローバルは均一化を目指す一方、反グローバルは個別性や国柄を認め合う方向なので、そちらの方が今後の人類の流れだと思うのですが、いかがでしょう。

並木 ずっとお話ししてきていることですが、やはり個の時代という流れが主流になってくるでしょう。そうなって行った時に反グローバル化の流れが強くなっていく。今はやっぱりそういう流れになっているんだなと感じます。

赤尾 それがトランプ大統領の誕生であり、イギリスのブレグジット（ＥＵ離脱）であるという流れがありますが、ロシアのプーチンもその方向だと思います。

でも、この３つは大国で力があるからこそ反グローバルという流れに行きましたが、まだまだ、グローバル化に持って行きたいという人々の意思としては、日本が今、草刈り場のようですね。日本にはグローバル化を実現しようという色々な毒の矢が刺さっているというように見えるのですが。

並木 そうですね。なんだか矢面に立たされているというか、そんな状態が見うけられますよね。

赤尾　この辺の流れを変えるのには国民一人一人の意識ですよね。

並木　正にそこなのです、結局。何らかの政策を立ち上げます、これこれをします、と打ち立てても、それに従っていく国民の意識改革が絶対的に必要になってくるのです。これが一人一人に試されるのであって、政策を立ち上げたから何かが変わるわけではありません。そこがある意味、難しい所だなという風に思います。

赤尾　『失われた日本人と人類の記憶』の中でも、日本の真の自立は令和十二（２０３０）年から令和十七（２０３５）年あたりではないかと二人でおっしゃっていたので、もうちょっと時間はかかりますか。

並木　このままの状態であれば、時間はかかるでしょう。今の日本人の意識の進化度合いと言いますか、いつもお話ししているように、優劣ということではなく、日本人のポテンシャルを考えた時には、日本が世界でリーダー的な位置づけになるべく、一人一人の意識がもっと引き上がっていて然るべきです。にも拘わらず、今はまだそこまで追いついていない、というのは残念であるのと同時に、問題と表現するなら問題である、と僕は感じています。

赤尾　今、グローバル派と反グローバル派の話をうかがいましたが、こと中国に関してはこの両方がＮＯという答えを出しているように思います。

並木　そうですね。ちょっとそういう意味では特殊です、中国は。でも結局、今起きているウィルスの問題も含めて、中国の人たちの意識も大きく変わっていくタイミングを迎えていますよ、ということの象徴だったりします。

つまり内側から崩れて行こうとしているのです。これも、２０２０年の破綻と崩壊の一つの流れなんですね。それが大激変と言っている意味なのですけど、こうして土台が崩れていくことによって、まったく新たなものが生まれてくることになります。なので、中国は何を言っても変わらないんじゃないか、と多くの人が思っていた節がありますが、こうしたことが起きることで、変わらざるを得なくなるわけです。

赤尾　中国共産党政府がどのように崩壊し、なにが新しく生まれるのか、しっかり見届けたいですね。次に日本の流れをうかがいます。今は安倍首相が7年余り首相をやっていますが、結局誰がやっても変わらないとつくづく思います。むしろ、どんどん悪くなっています。

並木　元も子もないことにならなければ良いのですが……。

政治家にも統合意識が必要

赤尾　日本の政治を変えるのは日本国民の意識だということは承知しているのですが、あえてうかがいたいのは、日本には限らないのですが、政治家の条件とはどんなところだと思いますか。

私が考えたのは、まず、その国の国体を理解している。二番目に私心がない。要はハニートラップとかマネートラップにかからないということです。三番目にしっかりとした死生観がある。つまり、いつも並木さんがおっしゃっているように、本当の自分というのはこの肉体ではなくて意識、魂の方なのですよということ。この3つが政治家に必要な要件じゃないかと思いますが、いかがでしょう。

並木　おっしゃる通りだと思います。ただ僕にとってそれはなんですかと言われたら、統合意識を持っているかどうかです。つまり、分離意識から生み出してきた今までの政界を、これから本当の意味での「正解」へと変化させていく必要がある中で、やはり、政治家たちの根本的な意識改革は避けられないでしょう。そうじゃないともう何もかもがチグハグ、バラバラで、みんなどこに行っていいのかわからなくなり、一層の混乱へと追い込まれていくことになります。やはりトップの意識というのは、国にしても会社にしても、とても大切になりますので、例えば国といえば安倍首相も、統合意識をいかに持てるかが、これから本当に大切になると感じます。

赤尾　そうですね。また、並木さんと矢作先生がおっしゃっている日本の役割ということを考えると、日本の国体、つまり大調和という役割を充分理解している人がリーダーに望ましいですね。

並木　それはそうです。国を動かして行くには絶対的にそうですね。

赤尾　本来、国民一人一人がそこは理解すべきでしょうが、まずはリーダーから理解していただきたいところです。

並木　もし、そうなったら本当に速いですよ。結局、リーダーの意識という流れは必ずウェーブを起こし、みんなに浸透して行くことになります。意識は波紋のように広がって行きますから。

赤尾　あと、今、衆参両議院で713人の国会議員がいます。何割ぐらいの人が統合意識に変化すると、日本がグッと変わっていきそうですか。

並木　割合でいくと3割です。半分も必要ありません。

赤尾　なるほど、3割。でも、意外と道のりは遠い。200人ぐらい必要ですか…。

並木　そうです。それだけ変われば充分です。

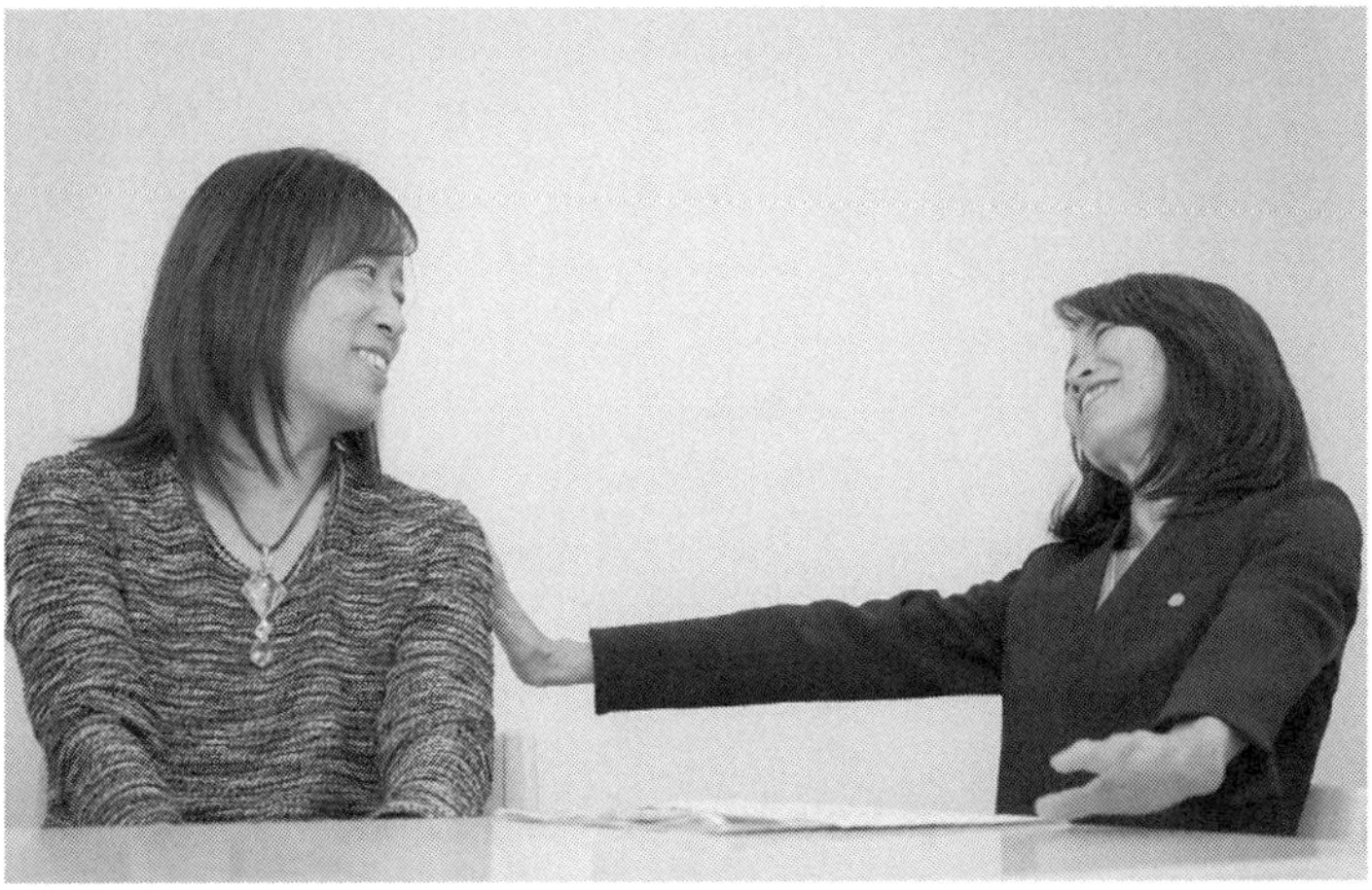

赤尾　もちろん3割が変わるっていうのと、トップが変わればグッと変わるということですよね。

並木　もちろん、加速することになります。

影響力という言い方がありますけど、やはり影響力が大きい人が変わるというのはそれだけ早いのです。つまり、意識を始めとした、あらゆる力が周囲に向けて浸透することで、他にも速やかに影響を与えていくんですね。

消費税はいらない

赤尾　わかりました。ありがとうございます。

次はおカネの話です。安倍政権になってから消費税が5%から8%になり、今10%になりましたが、これでだいぶ国民は疲弊していると思います。本当はどのような税制が望ましいのか、あるいは本当は税金とかは要らないのか、そのあたりはどのように感じますか？

並木　本当に望ましいのは何かと言ったら無税です。

赤尾　おー！　本当の意味で国民の意識が変われば……。

並木　可能です。

赤尾　いつも並木さんがおっしゃっているように、お金のいらない世界になるという中で、将来はそういうことも可能なわけですね。

並木　ポテンシャルはあります。ですので、もちろん可能です。

赤尾　その途中段階で言うと、消費税のように消費に課税するのではなくて、所得税とか法人税として課税した方がいいのではないかと思うんですが……。

並木　まず、本当にそれを国民から徴収する必要があるのかってことですよね。結局、国で消費税を10％にすることが決まれば、みんな、言ってみれば泣き寝入りするしかないわけです。これをいかに変えて行くのか。本当にこれって仕方がないことなんだろうか……やる必要のあるものなのか？　と、一旦疑ってみる、疑問を持つ、ということは大事なことだと思います。

赤尾　壮大な詐欺というと言葉は悪いのですが、イリュージョンの罠にはまっているっていうことなのですね。

並木　正にそうです。

赤尾　例えば、国債をどんどん発行しても日本は破綻しないのに、日本政府の借金を返すために国民から税金を取るというのは欺瞞(ぎまん)です。

並木　こういう図が刷り込みなのです。

「あなたたちに頼らざるを得ないのです。国民一人ひとりに……。」これが本当なのかどうかを疑うってすごい大事です。

赤尾　私も小さい声ながら、繰り返し言っていきたいと思います。

並木　議員の方々の中には、もちろん国民のために誠意を持って尽くされている方もいるわけですが、そうではない議員の方もたくさんいて、そうした方たちに対する給料だけでも見直すことができれば。

赤尾　本当ですよ。本来は取る必要のない消費税を取っているっていうのも、一般的には財務省の思惑だといわれていますが、それでは、財務省は誰の思惑で動いているのか。矢作先生は「光り輝く方々」と、私は「おメメ（プロビデンスの目）の人たち」と言っているのですが、その辺の上の方々の意向ということですよね。

並木 やはり未だに強いです。結局のところ、そこに行き着くことになりますね。

赤尾 財務省などは国民の方を向いていないで、そちらの方を向いて仕事をしている。

並木 この息のかかった方向性からなかなか向きを変えられない。これはきっと違うんだろうな、おかしいんだろうなと思ってはいても、やっぱりこの影響力というのは強くてそう簡単に抜けることができないというのが現状です。

赤尾 これは大きい問題だと思います。

並木 確かに……。これは集合意識に関わっている問題でもありますからね。

フリーエネルギーの可能性

赤尾 おカネの次はエネルギーの話になると思うのですが、エネルギーもその「おメメの人たち」の手の中だと思うのです。国防上の問題からエネルギーの確保という意味で、原発が必要だと言っている保守の方がいまだにすごく多いのですが、この辺はどう思いますか。

並木 これは非常に難しい問題ですが、ただシンプルに原発は必要ですか？　必要ではありませんか？　と質問されたなら、必要ありませんと答えます。

赤尾　私も思想的にカテゴリでいうと保守側と言われていて、仕事が製造業ですから、勝手に「赤尾さんも原発推進派でしょ」という風にレッテルを貼られます。私はいらないと思っていますが、今の日本ではなかなか言えません。

並木　そういう風潮みたいなのはまだまだ強いのです。

赤尾　原発ではなく当面化石燃料で賄えていますし、『失われた日本人と人類の記憶』でも、フリーエネルギーは令和十（２０２８）年以降くらいに出てくるのではないかと並木さんはおっしゃっていました。

並木　そうです。そういう芽みたいなものは令和八（２０２６）年頃から出てくると思います。そして２０２８年あたりになるとそういったものが解禁されてくるというか、より公に利用されるといったらいいのでしょうか、そういう流れがあります。

赤尾　それまでの繋ぎで今の化石燃料を使っておいて、あとは新しいエネルギーというかフリーエネルギーに希望を持つということで。

並木　それは可能なのです。絶対に可能です。

赤尾　またそれは日本からですか？

並木　一国から生まれるというよりは、色々なところから出てくるでしょう。

赤尾　同時多発的に。

並木　要するに、その研究は色々な国でなされているわけです。そして、元の情報は宇宙からやって来ています。それを知った人たちが、まぁ色々な経緯や思惑があるわけですが、開発を始めることになったわけですね。そして日本からも出ることになるでしょう。

赤尾　太陽光などの自然エネルギーもそれほどエコではないですし…。

並木　その繋ぎとしては太陽光がもう一度脚光を浴びると思います。

赤尾　それでは、太陽光にしても化石燃料にしても、フリーエネルギーが使われるまでの繋ぎっていうことですね。

並木　今、既に使用されているエネルギーが、これからも主流になるわけではないということです。

赤尾　私たちとしては希望が持てるお話です。

並木　そうしていかないと、地球がもたなくなるのです。化石燃料はそもそも地球の血液、あるいは潤滑油に相当するものなので、それをこれ以上搾取するというのは物凄い大きなダメージを与えることになります。僕たちだって、血液や潤滑油がなければ当然、動けないど

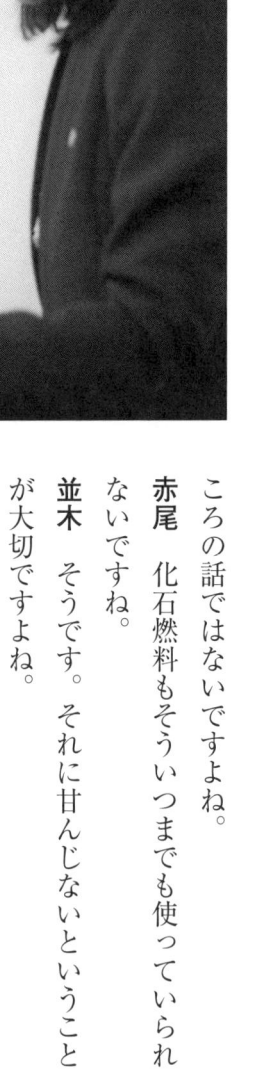

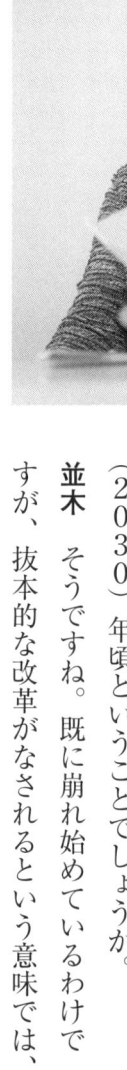

ころの話ではないですよね。

赤尾　化石燃料もそういつまでも使っていられないですね。

並木　そうです。それに甘んじないということが大切ですよね。

量より質の時代へ

赤尾　わかりました。ありがとうございます。
　先ほどもちょっとうかがった話ですが、おカネがいらない世界、つまり貨幣システムが崩れるというのは、日本の自立が始まる令和十二（２０３０）年頃ということでしょうか。

並木　そうですね。既に崩れ始めているわけですが、抜本的な改革がなされるという意味では、この令和二（２０２０）年から令和十二（２０３０）年にかけての10年は、人類にとって大きな転換期となり、様々な分野で、革新的な技術的変化が起こることになります。それは、もちろん人々の意識が大きく変化するからであり、２０３０年頃を目処に経済も様変わりすることになるでしょう。

赤尾　イメージとしては各国それぞれに地域通貨などが発生したり、ボランティアとか物々交換でおカネを使わなくなったりする。

並木　そうした形は、試験的に、もっと早くに出始めます。

赤尾　仮想通貨の信頼性が高くなって、使いやすくなるのはもうちょっと先ですか？

並木　仮想通貨は、既に出ているわけですが、それがより進化して行く形になります。つまり、仮想通貨をベースにして新たなものが生み出されてく、ということですね。

赤尾　それまで、地域通貨とかボランティアや物々交換は並列というか繋ぎのような形態ですか？

並木　先ほどもお話ししましたが、試験的なのです。試験的という言い方が僕としてはしっくりきます。開かれた高い意識の人たちがどんどん出てきますので、新たなアイディアをどう社会に生かして行くことができるのか、今既にあるものをベースに何ができるのかということを試みる人たちが出てくるということです。

赤尾　どんどん進んで今のインチキな仮想通貨ではなくて、本当の進化した仮想通貨になったならば税の体系も変わりますね。なんなら税を取らなくてもいいくらいになってきますか。

並木　必要がないことに気づいていくと思います。そういう人が増えれば増えるほど、急速に気づきは広がっていくと思います。

赤尾　価値の交換の印として、仮想通貨を交換しているわけですから、そこでなぜ税金がかかるのか。

並木　必要なくなってしまうって話です。

赤尾　新しい価値観の社会が楽しみです。次は、経営という若干ミクロの話になりますが、私も製造業をやって24年ですが、ずっとデフレと共に生きてきた感じです。日本は平成十（1998）年にデフレになっているので、それから22年経っています。日本がどのように再び経済成長をしていくのかというのは、先ほども出ているように、量ではなく質で、その可能性はあるわけですか？

並木　結局、まだまだ質より量だったわけです。でもこれからの世界の流れは物質文明から精神文明へと移行することになりますので、それこそ量より質というのは自然になると言えるでしょう。

赤尾　私もよく営業マンに言っているのですけど、値引きするなって（笑）。

並木　そうです。そうしたことをちゃんと理解する人たちが出てきますから、質が良ければこの値段を払ってもＯＫ！　になるわけです。

赤尾　デフレマインドで経営者が、自信をなくしているので、営業マンも値引き慣れしてしまっている。ですから、経営者から意識の転換をしていかないといけないと思います。

並木　まさに経営者の方の意識改革が必要です。

仕事の中での統合

赤尾　以前、並木さんが武井浩三さんと講演会をしたときに出たお話なのですが、人事というものは一人ひとりの適性を見て適材適所に配置していくということでした。でも、我々のような中小企業ですと、適材適所といっても、それは難しいときもありますが、そういうときは消去法でいくしかないのですか？

並木　まず、適材適所という概念を理解し、それぞれが、そうした意識を持って行動し始めるとします。そうすると、ちゃんと自分がいるべき場所にいて、完璧なタイミングでやるべきことをやっているというピタピタピタっとハマって行くようなことが世の中全体で起きるようになります。例えば、今、中小企業で人事のことで悩んでいたとします。でも、この適材適所という意識を持って行動することで、もしあるポジションにその人が必要でないならば、他のもっと適した人が取って替わるという、替わりが目に見える形で起こり始め、結局は、最善最適、収まるべきところに収まっていく、という流れが出来上がるわけです。

赤尾　なるほど……。ご縁がなくなり残念ながら退職する人に関しては、どうして辞めてしまうのかという意識は持たないことですね。

並木　去るものは追わずですね。

赤尾　あとは、言うは易し行うは難しなんですが、人がやりやすいように仕事を変えたり、仕組みを変えたりしたいですね。あと、本当にどうしても適材がいなかったら会社を閉鎖してしまうとか、そういうことも自由に選択していくということが広い意味での適材適所かと思います。

並木　辞めることによって新たな道が開け、それこそが自分にとっての適材適所だったんだ、という発見をすることもあるわけです。でも、人って、方向転換よりも、今までやって来たことを、続けていこうとする傾向が強いんですよ。もう無理だとわかっていてもなんとか続けよう、なんとかなるんじゃないかと試みるわけですね。そして、これが良いことや美徳みたいに思われがちですけど、方向転換する潔さというのも、とても大切であると、僕は思います。

赤尾　日本人経営者にありがちですが、真面目だからこそなんとかして続けるとか、赤字でも売ってしまいますとか……。

並木　何でもかんでも受け継いでいこうとする風潮は、これから終わりを迎えることになります。

赤尾　余談ですけど、私も「大好きなお父さんから受け継いだ会社を潰してはいけない」とずっと思っていた。ある時、父と話ができる人から父の様子を聞いてみたら、「別に会社はどうでもいいよ」と言われて、とても驚きました。

並木　向こう側（死後の世界）に渡ると、この世的な価値観は、基本的に大きく変わることになります。

赤尾　「それより由美がニコニコしている方がいい」と言われて、椅子から転げ落ちるほどびっくりしました。それ以来、親が望んでいることは私のニコニコ顔であって会社の継続じゃないのだと思っています。

並木　シンプルに考えて、親御さんがお子さんの幸せを望むのは、自然なことですよね。

赤尾　本当にシンプルに考えることが大切ですね。あと、私が意識していることは、入って来たり辞めたりと色々ありますけど、会社にいる間はご縁ですから、なんとか人間的成長をしてほしいなということです。ですから、社員教育には力を入れていますが、なかなか統合までは（笑）……。

並木　そうですね、今はまだ、統合を教育に取り入れるというのは難しいかもしれませんね（笑）。とにかく、一番の教育はトップがお手本を見せることに尽きますね。教えたいこと、伝えたいことを徹底的に実践することは、その電波を周囲に発信することになりますので、「その気」があれば、自ら電波を拾って上がってくる……つまり、変化していくことになりますから。

赤尾　あと、並木さんはお金はエネルギーとおっしゃっているじゃないですか。とはいえ、我々経営者はお金をどう配分するかという権限があります。というのは、一昨年、カルロス・ゴーンさんが捕まったときに、そもそも役員報酬を取りすぎだという批判もありました。そんなに恨むのだったら、最初から会社に入れなければいいと思うのですが、いずれにしても欧米では何百倍という報酬を取っている経営者も多くいるようです。日本だとどれくらいが適正というのは変ですけど、どれぐらいが良いと思いますか？

並木　職業にもよるでしょうし、僕にとってお金というのは自分の出したエネルギー分の対価です。お金はエネルギーですので、発するエネルギー量が多ければ多いほど、僕はもらってしかるべきだと思います。そうでなければバランスを崩してしまう結果になり、長く続けることができなくなってしまいます。というのが持論なので。そうすると職種によってもその人がどれだけのエネルギーをかけているかによっても、違ってきますね。

赤尾　なるほど、一概に数字では言えないですね。

今度は働く人の報酬についてです。昔は年功序列という、古き良き慣習がありましたが、今はすっかりそれが崩れて、職能給・職務給になりました。政府も同一労働・同一賃金にしろと言っています。これは一見いい話のように聞こえますが、具体的にいうと同じ仕事をしているのであれば、派遣社員も50歳のベテラン社員も同じ給料にしなさいということです。

私は、年功序列と職能給・職務給を足して2で割ったような、給料体系が日本的なのかと思いますが、それはどう感じますか。

並木　やはり今のところ、同列でっていう流れが主流になって行くでしょう。ただ、そこっ

て長い間続けて来た気持ちの部分というか、人の想いや歴史の部分というか、そこはプラスαですよね。

赤尾　やはり、大きな流れは変わらないのですね。そこをどう修正するか……。

並木　由美さんがおっしゃっている体制の方が、個人的には日本人的だなと感じます。ただやはり、流れは同列のほうに向かっています。やっぱり、同じことをやっているのになんであっちばっかり良い思いをするんだって、どうしてもなるわけですよね。

赤尾　その辺の流れを理解しつつ、それぞれがどういう仕組みが自分の会社らしいかということを作っていけばいいですね。

並木　はい、今のところ、それが最善だと思います。

ローカル経済の活性化がポイント

赤尾　次の質問はこれからの仕事についてです。これからは農業や林業が大切になってくると思います。でも、ここに先ほど言っていただいたグローバル化の矢が刺さってきているので、まだ当面日本はかき回されそうですか？

並木　あと数年は。数年というのは3年～4年ほどですが、そんな状態でしょう。

赤尾　一回混乱して、そこからまた、本来の日本らしい農業などに戻ってくるのでしょうか。

並木　そういう部分で日本の良さというのがクローズアップされるような。そういう動きが世界的に起きるはずです。

赤尾　これも解決の道としては国民の集合意識ですか？

並木　まさにそこでしかないです。

赤尾　平成二十六（２０１４）年に出した『国防女子が行く』にも書いているのですが、今、日本は食料自給率約40％なので、これを１００％にするには日本人一人一人の意識次第だと。

つまり、輸入品が安いから買うのではなく、地産地消で近くのものを食べようという国民の意識があればいいと思っています。

並木　それは僕も、とても大事なことだと思います。一人一人が自分の住んでいる地域を盛り上げて行くっていう意識は大切。例えば電化製品を買おうと思ったとき、同じものを安く買えるなら、量販店に行きたいと思うかもしれませんが、地域の電気屋さんを利用することで、地域経済を活性化するという意識は、これから特に必要になってくると言えるでしょう。

赤尾　これからはローカル経済をどうやって回して行くのかということが、大切ですね。

並木　これができると、逆に全体が活性化するのです。

赤尾　頭の上では、まだグローバル化の流れが止まりませんが、足下では、ローカルの経済が成立するという姿が理想です。我々中小企業の場合ですと、グローバルの波に乗ってもあまり良いことはありませんから、ローカルにどうやって生きて行くか……。

並木　どう地域に根付いて行くかですね。

赤尾　そこを中途半端に、中小企業が変にグローバル化しようとすると、価格競争に巻き込まれ、疲弊するだけです。どうあがいても、大資本にはかないませんので…。

並木　身の丈という言い方はあまり好きではないですが、逆に可能性を閉じてしまっていますよね。なのでまずは、今の自分に合ったやり方を選択するってすごく大切で、そこからやっていきましょうと。で、それで活性化して、さらにその先が見えて来た時点で、また新たな流れに乗っていくっていうのは、もちろん良いと思いますがこうした部分が疎（おろそ）かになると、全てが中途半端になるんですよ。

赤尾　基礎からですね。

並木　それを始めて行くのに令和二（２０２０）年はすごくいい年となります。

赤尾　しっかり、地元で地域に密着して頑張ります！

並木　皆で地域活性化を。

感性を使った仕事が残る

赤尾　さて、次の質問ですが、これも令和元（２０１９）年の本で並木さんがおっしゃっていますが、令和十四（２０３２）年、次の子年ですが、その頃には多くの職業がなくなるということでした。

並木　今ある職業の多くがですね。

赤尾　ＡＩができる管理業務などはなくなると思います。例えば、ホテル業でしたら、予約・受付・支払いなどはＡＩがやっている。そして、掃除や料理など手足を動かすような仕事は残るというイメージをしているのですが。

並木　繊細な味覚や手先の器用さ、そして感性を必要とする部分に関しては、人間が関わっていくことはあっても、それ以外の単純な業務に関しては大部分をＡＩがまかなっていくことになります。

赤尾　大雑把にいうと、頭を使う業務はＡＩがやって、手足を使う業務を人間がやる。

並木　ですね。人間は感性を担当します。

赤尾　はい、手足をというと負け犬みたいになってしまうから（笑）、感性を使う。

並木　これから求められる、誰にとっても大切な資質は感性です。

赤尾　期待を込めてモノづくりは残る方にいってほしいです。

並木　えぇ、そうした文化は残っていくでしょう。それだけではなく、独自の発展をして行くことになります。これから、僕たちの意識がどんどん変わって行く中で、今までの頭から絞り出すと言ったら良いのか、小さな脳から生み出すアイディアではない、宇宙意識という雄大な意識から降ってくる情報やアイディアを使って、今までは思いもつかなかったような作品が、様々な分野で生み出されることになるのです。

赤尾　3Dプリンタみたいな感じですか？　意識したものを作ってしまう。

並木　まさにそういった感じです。

「思い描いたものが、そのまま現れてくる」ような体験が待っています。それも含めて、これからの10年は、色々な意味で、すごい可能性に満ちていると言えるでしょう。

赤尾　統合意識とか自分軸で生きる人が増えたら、コンサル業やヒーリング業は減っていくのではないですか？

並木　まだ暫くは続くことになりますが、誰かに何かをやってもらうという構図はだんだん減って行くことになります。つまり、これからの時代は、自分本来の力を取り戻し、一人一人が主人公となって人生を生きるようになるので、例えばヒーリングという癒しも、ある程度、自分自身で行えるようになってくるわけです。

赤尾　依存型ではなく、共存型で、それぞれが感性を使った仕事が残るのですね。

並木　まさに、その通りです。

赤尾　そうすると、今、人手不足だと言って外国人労働者を入れているのは愚の骨頂。

並木　それは今だけです。

赤尾　次に、個々人の仕事への向き合い方をうかがいます。昨今、戦後教育の影響というのもありますが、日本人は打たれ弱くなっていると思います。まさに、統合意識が足りない。ちょっと怒られるとパワハラだといってうつ病になって辞めてしまうとか……。

並木　「そんな言い方は傷つく」「あんなことをしたんだから謝って欲しい」……一事が万事、人のせいというのが、本当に多い傾向にありますよね。いい加減、自己責任の意識を持つときを迎えています。ここに気づかない限り、僕たち人類は、ずっと「加害者と被害者ゲーム」をやり続けることになり、目を醒ますことはありません。

先人への感謝と軽やかさへの理解

赤尾　並木さんがよくおっしゃっているのは、「こ・ひ・し・た・ふ・わ・よ」。つまり、心地いい、ひかれる、しっくりくる、楽しい、腑に落ちる、ワクワクする、喜びを感じることを選択し、そこで出て来たネガティブな感情を外していくということです。そのことをひたすら筋トレみたいに繰り返すことだと思います。

ただ、勘違いされている方が、それをふわふわと選択すればいいと思っていて、例えば、何かにじっくりと取り組むとか継続していくということが、弱い人もいると思うのですが、その辺はいかがでしょう?

並木　まず、本当の意味で心の声に耳を傾けることができていないときは、どうしてもふわふわになりがちです。それでも、今感じる「こ・ひ・し・た・ふ・わ・よ」に従って動いていって、行動の結果、出てきたネガティブな周波数を手放して行くと、本来の自分に、もっとしっかりと繋がって、本当の意味での「こ・ひ・し・た・ふ・わ・よ」を捉え、行動することができるようになるのです。つまり、だんだん洗練されて行くわけです。誰でも最初はよちよち歩きですよね。とにかく、魂からの声とは、決してふわふわしたものなどではなく、しっかりと地に足の着いたものなのです。

赤尾　根気よくやり続けることが大切ですね。

並木　はい、根は詰めなくていいですが、根気づよく心の声に耳を傾けていくことが重要です。

赤尾　我々昭和の人間にありがちですが、例えば仕事への向き合い方に対して「努力や忍耐だ」と言ってしまうと、もうそれはネガティブなエネルギーを感じてしまうので、違うじゃないですか。

並木　これからの時代は、ますます軽やかにシンプルにという流れになって行くので、努力とか一生懸命というのはどうしても時代の流れという主流にそぐわなくなってくるのです。

でも、ずっとそうした生き方を大切にしてきた大人世代が、努力や一生懸命という在り方を主張すると、いわゆる若者たちは、これからの時代を生きるための準備をして来ている魂なので、全然理解できないどころか「話が違うじゃないか！」と反発が強くなってしまうだけで、かえって逆効果になっちゃうわけです。

だからこそ、こうした新たな流れにみんなが理解を示していくと、若者たちだけではなく、誰もが「強いる」という強制的な力から解放され、リラックスできる環境の中、やろうとすることに、より良く集中力を発揮して、まるで流れるように、自然な形で物事が進んでいくようになるのです。

赤尾　「努力しなさい」と言わずに、結果として、集中してできるようにしてあげる方が得策ですね。

並木　大人たちの意識改革が必要です。戦後、一生懸命努力して、時代を作り上げて来た先人たちの功績は、敬意と感謝以外の何物でもありません。でも、「これからの時代は今までとは全く違う」ため、今までのやり方を続けていると、まるで川を上流に向かって、つまり、自然な流れに逆らって泳ぐことになり、辛く苦しくなってしまうでしょう。なので、自分たちが通って来た道や在り方を若者に伝えようとするのは当然でもあるのですが、今まで頑張って来た分、逆に簡単さを選んでみても良いのかな……と思ってみて欲しいんですね。

赤尾　上も意識を変えないといけないし、下も変えないといけない。

並木　もちろん、下は変わらなくていいのではありません。繰り返しますが、先人たちに対する敬意や感謝の気持ちを持つことは、とても大切なのに、そこをすごく軽んじてしまう傾向がありますね。なので、そこは違うよっていうことは伝えていく必要があると思います。

赤尾　私が本編の中で書かせていただいたのですが、働き方改革とかブラック企業という言い方自体もすごい他人軸で、自らに全部責任があるということをわざと外しているような表現じゃないですか。政府もおメメの人たちの意向があるのか、労働者と経営者を対立させるような方策にまだまだ持って行くのかなと感じています。

並木　残念ながら、今しばらくは、その流れは変わらないでしょう。

赤尾　その流れがあるのを理解しつつ、「でもうちの会社は違うのよ」とやっていくしか方法はないですね。

並木　そうですね。そこがとても大事なポイントになります。まずはそこを変えていかないと変わりようがないですから。

赤尾　よく並木さんがおっしゃっている、「自分の選択に責任を持つ」ということが、私も大事だと思っていて、実は、社長業をやって15年目にしてやっと気づいたのです。

これも本編に書きましたけど、それまでずっと「社長業をやりたくない。やりたくないけど仕方ないからやっている」ということをずっとグルグル思っていたのです。15年目にして友人のコンサルタントの人に「赤尾さんがやりたいとか、やりたくないとか聞いてないよ。やるか、やらないかでしょ」と言われた時に、「え？　カードって2択だったの！」と初めて気づいたのです。そして、2枚見せられた時に「社長業やります」と心から引きたくなったのです。これが、全て自分の選択なんだと。

でも、私が皆さんに言いたいのは「15年かける必要はありません。今気づいてください」ということです。しかしながら、そこがなかなかここが腹に落ちない。

並木　頭ではわかっていても、なかなか、体感に落とし込むというのは、言うは易く、行うは難し、かもしれません。

赤尾　それぞれの人のタイミングですね。

並木　まさにタイミングが全てです。よく、タイミングが遅かったんじゃないかって言ったりしますが、そうではありません。15年は必要だったんです。必要という字は必ず要ると書きますよね。

赤尾　言い方として、「苦労しないとわからないよ」ではなく、「あなたのタイミングがあります」ということですね。シンプルに。

並木　それは、蒔いた種が花開くまでには一定の時間が必要である、というのと全く同じことです。

赤尾　選択ですよ。2択ですよ。2択どころか、もういっぱい選択肢ありますよ、というのは先輩として言い続けたいところです。

並木　それぞれのタイミングであるからこそ、その人の中で、もし準備が整ったなら、もちろん15年かけて気付くということもできるけど、一瞬にして気づいたっていいのです。

赤尾　あと、組織の役割についてうかがいたいのですが、例えば課長なら課長の役割を、社長なら社長の役割を演じることがいいことだと思われていますが、それについてはいかがですか？　私も役割と自分のギャップに悩んだ期間が長かったのですが…。

並木　まず役割という捉え方をすると、そこに合わせていくことになるので、ズレが生じま

す。僕たちは、ただ本来の自分と一致していればいいだけなので、役割とか役とかを意識する必要はありません。どうしても課長としての役割とか、親として、教師として、社長として……と挙げればキリがないですが、そういうのも要りません。

赤尾　「あなたは課長のポジションだけれども、あなたらしく仕事をしてください」でいいのですね。

並木　だって、逆に社長らしさって何？　ってことになるじゃないですか？　課長らしさって一体なんなんですか？　って。

赤尾　どんな役職にいようとも全て自分らしさを出すということが、これからの新しい企業であり社会であるのですね。

並木　だからこそ、形も変わってくるわけですね。

美しい言葉と美しい心

赤尾　最後に、子育てのことをうかがいます。並木さんは優しいし、面白いし、上品だし、一体全体お母様はどうやって育てられたのだろうと思うのですが、誰の影響が強いとかありますか？

並木　誰の影響でしょうね（笑）。

赤尾　もはや最初から宇宙の子だったのですか（笑）？

並木　母からは、私の子じゃないみたいってよく言われていました。ただ、お行儀よくねっていうのは昔からありましたね……言葉遣いとか、食事のマナー的なこととか。

赤尾　立ち居振る舞いとか言葉使いというのは親の影響が強いと思います。だから、並木さんのお母様はとても上品な方でしょうね。

並木　母も喜びます（笑）。

赤尾　小さい頃は地球に馴染めなくて、よく病院ばっかり行っていた。引きこもりでゲームばっかりしていたのですよね。

並木　テレビ見て、ドラマ見て、ゲームして。

赤尾　そういう時にお母様から注意とか受けませんでしたか？なかったです。

並木　じゃあ、ただ単に信頼して見守っているという感じだったのですかね。

赤尾　いえ、心配はしてくれていたと思います。

並木　心配ではあった。

赤尾　心配はあったと思います。このままで、どうするのっていうのはあったと思います。でも僕にはどこかで後何年経ったらこの状態を抜けられると知っていたので、もうちょっと待っててというのが口癖だったんです。

並木　そうでしたか！

赤尾　もうちょっと待ってて、もうちょっと待っててというのが。

並木　じゃあお母様はその言葉を信じて待ってたわけですね。

赤尾　結局はそうです。それしかなかったと思います。

並木　あと、並木さんは言葉遣いが美しいと思います。本はたくさん読んでいるのですか？

赤尾　今は、滅多に読みませんが、子供の頃は比較的読んでいた方かもしれません。国語の授業で本を音読するようなときに、それが先生に褒められ、全校生徒の前で、本の読み聞かせをする会があったのですが、その読み手に選ばれたりはしてたので（笑）。

赤尾　そのシーンが目に浮かぶようです（笑）。並木さんの言葉は「てにをは」までしっかりしていて、とても綺麗な日本語を話されていると思います。ですから、霊能者としても、人としても、私はとても尊敬しています。

並木　ありがとうございます。周りにいる人たちのお陰なんだと思います。

赤尾　私も並木さんを見習って、美しい心で美しい言葉を使っていきたいと思います。今日は本当にありがとうございました。

赤尾由美の辻説法

令和２年６月23日　初　版　発　行

著者　　赤尾由美
発行人　蟹江幹彦
発行所　株式会社　青林堂
〒150-0002　東京都渋谷区渋谷3-7-6
電話　03-5468-7769
協力　　（株）オフィス並木　代表取締役社長　菊田雄介
装幀　　TSTJ Inc.
印刷所　中央精版印刷株式会社

Printed in Japan

ISBN 978-4-7926-0680-0